Gilles Néret

MICHEL-ANGE

1475–1564

Le Monde

COUVERTURE :
Le Jugement dernier (détail), 1536–1541
Fresque, dim. totales 1700 x 1330 cm
Chapelle Sixtine, Le Vatican

ILLUSTRATION PAGE 1 :
L'Enlèvement de Ganymède, v. 1533
Pierre noire, 19 x 33 cm
Fogg Art Museum, Cambridge (MA)

ILLUSTRATION PAGE 2 ET DOS DE COUVERTURE :
Daniele da Volterra
Portrait de Michel-Ange, v. 1541
Dessin à la pierre noire, 29,3 x 20,9 cm
Teylers Museum, Haarlem

CI-DESSOUS :
*Jeune homme nu en mouvement et
faisant signe*, 1496–1500
Dessin à la plume, 37 x 23 cm
The British Museum, Londres

Edition particulière pour *Le Monde*

© 2005 TASCHEN GmbH
Hohenzollernring 53, D–50672 Köln
www.taschen.com
Conception et rédaction : Gilles Néret, Paris; Couverture : Catinka Keul, Angelika Taschen, Cologne
Printed in Italy
ISBN 3–8228–4655–4

Table des matières

Un Tailleur de Pierre   1475–1505

Michel-Ange n'a jamais fait mystère que sans relâche, de sa jeunesse à sa vieillesse, les passions aient consumé sa vie. Dans le tourbillon – semblable à celui de Dante – qui emporte l'œuvre de ce Titan, vers les cimes comme vers l'Enfer, les figures de beaux adolescents occupent une place de choix. On a longtemps feint de l'ignorer. On a même tenté maladroitement de le cacher, par un scrupule quasi injurieux. Une censure morale, sans rapport avec cette force créatrice monumentale, a cru habile de jeter un voile sur ces amours, aussi brûlantes que mystiques, sorties du ciseau ou du pinceau de l'artiste.

Chez Michel-Ange, passion et création procèdent pourtant du même feu: «Mon seul élément est ce qui me brûle et m'enflamme, car il convient que je vive de ce dont les autres meurent…», proclame-t-il tôt dans ses poèmes, véritables chants de «lave ardente et rocailleuse». Et les souffrances que ce feu perpétuel lui cause sont parfois si intolérables qu'il en vient à regretter de ne s'être pas arraché les yeux, pourtant source de beauté: «Si, dans mon jeune âge, je m'étais avisé que l'alme splendeur du beau, dont j'étais énamouré, dût, refluant au cœur, y allumer un feu d'immortel tourment, comme j'aurais volontiers éteint la lumière de mon regard!…»

Dès lors qu'une quelconque hypocrisie n'y fait plus obstacle, apparaît, dans toute sa majesté, cet édifice, consacré à la beauté, que Michel-Ange a voulu élever vers Dieu. Ce triomphe, qui n'a pas d'équivalent dans l'histoire de l'art, et qui, par conséquent, en fait un phénomène unique et sans véritable descendance, est dû à la façon dont il a pu concilier des forces apparemment opposées: dans son esprit, l'alliance d'une sensibilité féminine et d'une force digne d'Hercule; dans son œuvre, la lutte entre le mouvement et la matière, par définition statique.

Seul un Michel-Ange, aux aspirations et aux dons autant masculins que féminins, pouvait s'y risquer et triompher sans s'empêtrer dans d'étranges contradictions. Il ne s'agit plus, comme c'était le cas avant lui, de gagner le Ciel par la foi, mais plutôt de s'élever par la contemplation exaltante de la beauté. Exercice dangereux, car on ne contemple pas impunément la beauté humaine, et surtout celle des jeunes éphèbes, sans s'y brûler et être dévoré d'amour. C'est là supplice aussi désirable qu'inévitable pour un Michel-Ange qui veut gagner son Ciel:

«… Aime, brûle, car quiconque meurt n'aura point d'autres ailes pour gagner le Ciel.»

C'est ce que Giorgio Vasari a bien perçu et qu'il résume en ces termes: «L'idée de cet homme extraordinaire a été de tout composer en fonction du corps humain et de ses proportions parfaites, dans la diversité prodigieuse de ses

David, 1501–1504
Marbre, hauteur 434 cm
Galerie de l'Académie, Florence

Agessandros, Polydorus et Athenodorus de Rhodes
Groupe du Laocoon, v. 150 av. J.-C.
Musée Pio Clementino, Belvédère,
Le Vatican

Michel-Ange fut profondément influencé par cette sculpture grecque de la période romaine. Il était présent lorsqu'on la déterra à Rome en 1506.

AU CENTRE:
Combat des Centaures et des Lapithes, 1492
Bas-relief de marbre, 81 x 88,5 cm
Casa Buonarroti, Florence

attitudes et en outre dans tout le jeu des mouvements passionnels et des ravissements de l'âme.» Foin des critiques dérisoires et des accusations de mettre du païen là où l'on attendait du religieux, voire de provoquer la fureur du bien-pensant en lui détaillant la nudité de l'homme. C'est en effet au corps humain, tel qu'il sortit de la main divine, que Michel-Ange fait tout dire, fût-ce au plafond d'un autel pontifical. Pour Michel-Ange, la beauté humaine telle qu'il la représente est un reflet de la beauté céleste et par conséquent doit ramener l'âme au divin quand on la contemple. C'est faire œuvre pie, pour un artiste créateur tel que lui, de la mêler aux images saintes et d'aller jusqu'à prêter au Sauveur «la belle vêture de sa nudité». D'où le Christ en bois, intégralement nu, façonné à dix-sept ans, avec toute la tendresse que peut avoir le génie naissant (p. 10). D'où le *David* (p. 6–7), représentation de l'homme nu et désarmé, mais dont le regard oblique et déterminé, les sourcils froncés, sont l'expression de cette *terribilità*, propre à tout l'art de Michel-Ange, qui ajoute ainsi une dimension psychologique à la perfection de sa sculpture. Jouant sur le contraste entre le côté droit, calme, qui est sous la protection divine, et le côté gauche, vulnérable, exposé aux puissances du mal, suivant la distinction morale que l'on faisait au Moyen Age, Michel-Ange innove dans cette représentation en choisissant de ne pas camper un David vainqueur, mais d'en faire le symbole de la *fortezza* (la force) et de l'*ira* (la colère), considérées comme des vertus civiques à la Renaissance, tout particulièrement par la république florentine qui a commandé le monument.

D'où le *Tondo Doni* (p. 10–11), qui représente une Sainte Famille qui n'a rien de religieux même si elle en donne l'impression par sa grave douceur et

sa force hautaine. Mais que vient donc faire cette guirlande d'éphèbes, de *garzoni*, qui orne le fond du tableau, sinon donner plaisir au peintre qui trouve naturel de rendre hommage à la beauté qu'il préfère. Ces *Ignudi*, encore adolescents, on les retrouvera, plus mûrs, sur la voûte de la Sixtine, moins anges sans ailes que garçons familiers que fréquente l'artiste, semblant n'avoir aucune raison de se trouver là, parmi tant de scènes bibliques hautement signifiantes, sinon, une fois encore, pour témoigner de leur beauté ambiguë.

Fasciné avant tout par la beauté d'un corps et d'un visage, c'est lorsqu'il deviendra amoureux de Tommaso dei Cavalieri, renommé pour «son incomparable beauté» (Benedetto Varchi), ainsi que pour la distinction de son esprit, que Michel-Ange dominera sa quête, en établissant un lien entre «la forza d'un bel viso» et la véritable beauté d'âme. Désormais il pourra accepter sans rougir l'avertissement de Socrate: «Celui qui aime le corps d'Alcibiade aime non Alcibiade, mais quelque chose qui appartient à Alcibiade, tandis que celui qui aime son âme l'aime vraiment lui-même.» Car, ainsi que le note Pierre Leyris, «c'est bien l'âme du jeune Romain que, par-delà son visage et son corps, il aspire à contempler sans fin, à épouser intimement jusqu'à ne plus faire qu'un avec elle.»

De la dualité de cet amour de la beauté du corps autant que de l'âme naissent forcément souffrance et création qui se trouvent être justement les deux ressorts qui tendent toute l'œuvre de Michel-Ange. Nul doute qu'avec «ce cœur de soufre et cette chair d'étoupe» qu'il s'attribue lui-même, et dont il rend son créateur responsable dans un sonnet célèbre, il succombe aux faiblesses de la chair et en use aussi librement avec les jeunes hommes dont les noms jalonnent sa vie, que Botticelli et Vinci le faisaient, comme il est notoire, avec leurs

Fra Bartolomeo
Portrait de Savonarole, v. 1497
Huile sur bois, 53 x 47 cm
Museo di San Marco, Florence

EN HAUT:
<u>Anonyme</u>
Portrait de Laurent le Magnifique devant le panorama de sa ville, Florence. v. 1485

9

garzoni. Mais c'est parce qu'il est «un homme de péché, de lourds péchés habituels», ainsi qu'il le répète avec douleur dans ses poèmes, qu'il peut souffrir et créer. André Chastel établit ainsi une sorte de hiérarchie entre les différentes façons qu'ont les grands artistes de la Renaissance de vivre leur différence et d'en faire un acte créateur: «La beauté pour Raphaël était la promesse même du bonheur, pour Léonard l'instance d'un mystère; elle devient pour Michel-Ange principe de tourment et de souffrance morale. Nul n'a poussé plus loin l'intuition – si nettement affirmée par les platoniciens de Florence – que l'appel de la beauté est, par le mouvement de l'amour qui retentit dans l'être tout entier, le ressort créateur par excellence, le seul digne d'une âme noble. Mais nul n'a éprouvé plus douloureusement la difficulté de détacher la beauté des formes sensibles et de sublimer entièrement l'amour.»

Michel-Ange attribuait, en plaisantant, sa vocation au lait qu'il avait sucé dans son enfance. Né le 6 mars 1475 à Caprese, en Casentin, de la vieille famille des Buonarroti Simoni, mentionnés dans les chroniques florentines depuis le

Crucifix du couvent Santo Spirito, v. 1492.
Bois polychrome, 142 x 135 cm
Casa Buonarroti, Florence
Le premier Christ nu...

Tondo Doni – La Sainte Famille avec saint Jean-Baptiste, 1503–1504
Panneau à tempera en forme de tondo, diam. 91 x 80 cm
Galerie des Offices, Florence

Une Sainte Famille pas très catholique...
Curieuse façon qu'a la Madone de tendre la main vers le sexe de son fils. Et que vient faire, dans un tableau religieux, cette guirlande d'éphèbes à la nudité païenne ?

CI-DESSUS:
Saint Procule, 1494–1495
Marbre, hauteur 58,5 cm
Basilique Saint-Dominique, Bologne

A DROITE:
**Tondo pour B. Pitti – Vierge à l'Enfant
et le petit saint Jean**, 1503–1504
Bas-relief de marbre, diam. 85,5 x 82 cm
Musée du Bargello, Florence

12ᵉ siècle, il avait en effet été mis en nourrice chez la femme d'un tailleur de
pierre de Settignano. Sans doute ses premiers pas dans ce milieu d'artisans
furent-ils propices à son goût passionné de tailler la pierre. A l'école, à Florence,
il ne se préoccupait que de dessin, ce qui lui valut d'être souvent battu par son
père qui n'aimait guère la profession d'artiste, mais qui consentit vite cependant
à ce que l'enfant suivît sa vocation. Le premier atelier où il s'exerce est celui de
Domenico Ghirlandaio avec lequel il est bientôt en désaccord. La vraie raison,
sans doute, est que, dès ce moment il refuse définitivement de considérer la
peinture comme un art et qu'il vient de découvrir que l'essence de son génie
l'attire vers la sculpture. L'artiste que les fresques de la chapelle Sixtine ont im-
mortalisé ne voulait pas peindre et ne le fit jamais que contraint et forcé. C'est
pourquoi il choisit de passer dans l'atelier de Giovanni di Bertoldo, élève de
Donatello, qui dirigeait une école de sculpture en même temps que la collection
des antiques rassemblés par Laurent de Médicis (p. 9), dans les jardins de San
Marco. Là, Michel-Ange peut assouvir deux passions: retrouver chez Bertoldo
la tradition de Donatello et en même temps étudier le modèle des antiques. Il y
trouva plus encore: l'amitié du prince et de l'élite des penseurs florentins, en-
trant du même coup au cœur même de la Renaissance, au milieu des humanistes
et des poètes, en relation intime avec tout ce que l'Italie comptait alors de plus
noble. Laurent, séduit, le logea au palais, l'admit à sa table et lui permit ainsi,
dès ses premiers pas d'artiste, dans ce milieu d'un paganisme qui le marquera
durablement, de s'enivrer de l'Antiquité, de se gorger des formes héroïques de la

Grèce et de transposer le tout dans ses sculptures en y mêlant sa violence sauvage.

Ainsi naît le *Combat des Centaures et des Lapithes*, de la Casa Buonarroti (p. 8–9), mêlée d'hommes nus, aux corps et aux mouvements athlétiques, autre manifestation du beau selon Michel-Ange. Et déjà se livre en lui cet autre combat qui durera presque toute sa vie: comment réconcilier ces deux mondes ennemis que constituent son attrait pour le paganisme et la foi de son âme chrétienne? Lutte pour laquelle il souffrira et créera.

D'un côté, un père, «homme de l'antique façon, craignant Dieu», un frère aîné, Lionardo, qui s'est fait dominicain à Pise, et Savonarole (p. 9) qui commence à Florence ses prédications enflammées sur l'Apocalypse. De l'autre, l'amour du beau et de la nature qui le pousse à étudier avec acharnement l'anatomie sur des cadavres, jusqu'à ce que leur puanteur le rende malade. Même s'il n'est pas indifférent aux paroles ardentes de Savonarole, qui du haut de sa chaire lance la foudre sur le pape et les princes, Michel-Ange choisit de fuir une Florence épouvantée par le frêle prédicateur et de se réfugier pour un temps à Venise. Loin du glaive menaçant de Dieu, il préfère sculpter pour le tabernacle de San Domenico, église de Bologne où il réside quelque temps après Venise, un ange qui malgré ses ailes semble attendre le signal du starter et se préparer à courir le marathon plutôt qu'à voler dans le ciel.

De 1492 à 1497, pendant tout le temps que se déroule la tragédie de Savonarole, jamais Michel-Ange n'a été aussi païen. C'est l'époque d'un Bacchus qui

CI-DESSUS:
Apollonios, fils de Nestor
Le Torse du Belvédère, v. 50 av. J.-C.

Les torsions de ce corps athlétique marquèrent profondément Michel-Ange. On en retrouve les traces au plafond de la Sixtine et, plus particulièrement, dans les statues d'esclaves pour le monument à Jules II.

A GAUCHE:
Tondo pour Taddeo Taddei, 1505–1506
Bas-relief en marbre,
diam. 109 x 104 x 106,5 cm
Royal Academy of Arts, Londres

témoigne de sa profonde connaissance de l'antique par la sensualité du modèle digne des exemples hellénistiques, ainsi que du fameux *Cupidon endormi*, sculpté en pleine Florence mystique, et qu'il ose vendre comme faux marbre antique au cardinal Riario, amateur de sculpture grecque (1496). Savonarole, qui finit brûlé en 1498, assignait à l'art un but précis d'édification religieuse. Michel-Ange méprisait cet art fait pour les dévots. Il se croyait plus religieux en sculptant de beaux corps harmonieux qu'en cherchant l'expression psychologique ou morale, faite «pour les femmes, surtout pour les âgées ou pour les très jeunes, ainsi que pour les moines, les religieuses et quelques nobles, qui sont sourds à la véritable harmonie».

Même la *Pietà* de Saint-Pierre (p. 16–18), entreprise l'année de la mort de Savonarole, si elle a, par son sujet, un air plus religieux que les autres œuvres de l'époque, s'apparente davantage aux magnifiques dieux de l'Olympe qui charment Michel-Ange, qu'aux vierges éplorées poussant des cris de douleur, peintes par Donatello, Luca Signorelli ou Andrea Mantegna. Ce qui frappe surtout dans ce groupe harmonieux, c'est la calme beauté de la Vierge juvénile sur les genoux de laquelle repose le Christ qui s'abandonne comme un enfant endormi. Comme toujours, chez Michel-Ange, la beauté l'emporte sur les tragiques déclamations des peintres, même si leurs Christs adoptent une pose semblable, mais raidie par la douleur et la souffrance, comme chez Agnolo Bronzino (p. 16) ou Enguerrand Quarton (p. 16). Le commentaire que fait Michel-Ange lui-même de sa *Pietà* montre que sa pensée mystique dépend de la beauté qu'il entend insuffler à sa

CI-DESSUS:
Vierge à l'Enfant, v. 1504
Marbre, hauteur 128 cm
Notre-Dame, Bruges

A GAUCHE:
Léonard de Vinci
La Vierge, l'Enfant Jésus, sainte Anne et saint Jean-Baptiste, v. 1498
Fusain, rehaut de blanc sur carton,
141,5 x 104,6 cm
National Gallery, Londres

PAGE 14:
Nu masculin de dos, v. 1504
Plume et encre sur traces de pierre noire,
40,9 x 28,5 cm
Casa Buonarroti, Florence

Sans doute une des études pour les guerriers de la *Bataille de Cascina*.

CI-DESSUS:
Pietà, 1499
Hauteur 174 cm, avec la base 195 cm
Saint-Pierre, Le Vatican

A DROITE, EN HAUT:
<u>Enguerrand Quarton</u> (attribué à)
Pietà de Villeneuve-lès-Avignons, v. 1455
Huile sur toile, 163 x 218 cm
Musée du Louvre, Paris

A DROITE, EN BAS:
<u>Agnolo Bronzino</u>
Déposition de croix (détail), v. 1542–1545
Huile sur bois, 268 x 173 cm
Musée des Beaux-Arts, Besançon

PAGE 17:
Pietà, détail du visage de la Vierge

sculpture, en particulier lorsqu'il explique le contraste existant entre l'éternelle jeunesse de la Vierge, comparée au Christ qui a l'air d'un homme mûr: «Ne sais-tu pas, dit-il à Ascanio Condivi, que les femmes chastes se conservent beaucoup plus fraîches que celles qui ne sont pas chastes? Combien plus par conséquent une vierge, dans laquelle jamais n'a pris place le moindre désir immodeste qui ait troublé son corps…» Pour le fils, en revanche, pas de miracle: il s'est incarné dans l'homme et a vieilli comme lui et il n'est pas nécessaire de faire disparaître l'humain derrière le divin. «Ne t'étonne donc pas, conclut Michel-Ange, si, pour de telles raisons, j'ai représenté la Très Sainte Vierge, Mère de Dieu, beaucoup plus jeune que son âge le réclame, et si j'ai laissé son âge au Fils.»

Les deux phares de la Renaissance, Léonard de Vinci et Michel-Ange, n'eurent jamais grande sympathie l'un pour l'autre. Vinci s'intéressait à tout, mais se refusait à prendre parti. Michel-Ange, en proie à ses passions changeantes, haïssait ceux qui ne sont d'aucun parti et d'aucune foi, comme c'était le cas de son rival et, à diverses reprises, il fit sentir à Léonard, publiquement, son aversion pour lui. Et voilà qu'à l'occasion d'une bataille de *Batailles* entre les deux rivaux, la Renaissance allait prendre un tournant décisif. En 1504, la Seigneurerie de Florence les mit aux prises dans une œuvre commune: la décoration de la salle du Conseil. Tandis que Léonard commençait le carton de la *Bataille d'Anghiari*, Michel-Ange attaquait celui de la *Bataille de Cascina* (p. 21). Dès lors, Florence se divisa en deux camps passionnés pour chacun des deux rivaux. L'ironie du destin a voulu que ces œuvres qui jouèrent un si grand

rôle historique aient toutes deux disparu. Léonard suffit à détruire lui-même sa propre fresque en inventant un nouvel enduit qui se répandit avec elle sur le sol. Quant au carton de Michel-Ange, il fut détruit vers 1512, lors de bouleversements politiques.

Les deux cartons de Léonard et de Michel-Ange n'en avaient pas moins eu le temps d'exercer sur toute la peinture italienne une influence capitale. Face à sa bataille, Léonard l'avait campée avec toute sa lucidité mais aussi sa froideur analytique. Michel-Ange, à sa façon habituelle, avait tourné le dos à l'histoire, mais profité de l'occasion pour peindre une foule d'hommes nus au bain, en toute liberté.

Pour exprimer la violence des mouvements et les attitudes des combattants, – ce que Michel-Ange définit lui-même comme «la folie bestiale» de la guerre – il s'était inspiré d'un épisode de la *Chronique* de Villani et avait représenté les soldats florentins qui, avertis de l'approche de l'ennemi alors qu'ils se baignaient dans l'Arno, se hâtaient de se rehabiller et de saisir leurs armes pour l'affronter. Cet épisode lui avait été prétexte à représenter ce qu'il aimait le plus, des hommes nus dans des attitudes insolites et violentes, mais aussi de faire preuve de sa parfaite connaissance de l'anatomie et de son aptitude à donner aux mouvements et aux personnages une intense valeur expressive. Voilà qui était tout nouveau pour l'époque et qui allait révolutionner la peinture de la Renaissance.

Les deux œuvres, malgré l'excès d'analyse chez Vinci, et la tentation d'abstraction chez Michel-Ange, avaient innové une autorité nouvelle dans la façon d'aborder le sujet. Raphaël les copia, Fra Bartolomeo s'en inspira, Andrea del Sarto passa son temps à les étudier. C'était la mort pour tous les charmants peintres primitifs, de Pinturicchio et Signorelli à Pérugin. Cette autorité fut aussitôt universelle et tyrannique. Benvenuto Cellini dit, en 1559: «Le carton de Michel-Ange fut placé dans le palais des Médicis, celui de Léonard dans la salle du pape; aussi longtemps qu'ils y restèrent exposés, ils furent l'école du monde.» Mais tout le monde n'est pas Léonard ou Michel-Ange, et, s'attristant sur «la défaveur soudaine, et comme l'arrêt d'exil» de la peinture primitive, Romain Rolland a pu déplorer à juste titre: «… tant de grâce, d'élégance, d'énergie, sacrifiées à une beauté supérieure sans doute, mais où tous ne pouvaient atteindre. Au lieu de donner plus de largeur à l'esprit, l'admiration de Léonard et de Michel-Ange le rendit exclusif et étroit.»

Peter Paul Rubens
L'Episode de l'étendard de la Bataille d'Anghiari, v. 1600
Dessin d'après Léonard de Vinci,
45,2 x 63,7 cm
Musée du Louvre, Cabinet des dessins, Paris

EN HAUT:
Aristotèle da Sangallo
La Bataille de Cascina, d'après Michel-Ange, partie centrale du carton, v. 1542
Huile sur panneau, 76,5 x 130 cm
Holkham Hall, Norfolk

PAGE 20:
Nu masculin et deux études de détails pour ***La Bataille de Cascina,*** 1504–1506
Pierre noire, légers rehauts de blanc,
40,5 x 22,6 cm
Teylers Museum, Haarlem

Le Pape et l'Artiste   1505–1513

Michel-Ange ne pouvait souffrir la peinture à l'huile, qu'il disait «bonne pour les femmes… ou pour les fainéants, comme Sebastiano del Piombo», ajoutait-il. Elle lui semblait, comme à Platon, moins virile et moins pure que la statuaire, par sa séduction même, par «sa magie illusoire» qui simule «l'apparence des choses» et ne crée que des fantômes. Et il la dédaignait d'autant plus qu'elle faisait plus appel à l'attrait de la couleur, aux dépens de l'idée.

Qu'aurait-il pensé des Impressionnistes, lui qui proscrivait le paysage et n'y voyait, toujours comme Platon, qu'«une ébauche vague et trompeuse, un jeu pour les enfants et les illettrés…» Il avait horreur aussi du portrait qui n'était pour lui que «flatterie faite à la curiosité vaine et aux illusions imparfaites des sens». Tout ceci en contradiction avec la majeure partie de l'école italienne du 16e siècle ou avec la naïve profession de foi de Dürer, ce bon bourgeois pieux d'Allemagne qui déclarait, presque à la même époque, en 1513: «L'art de la peinture est employé au service de l'Eglise, pour montrer les souffrances du Christ et de beaucoup d'autres bons modèles; il conserve aussi la figure des hommes après leur décès.»

Non content de dédaigner la peinture, Michel-Ange la rabaissait devant la sculpture. Dans une lettre à Benedetto Varchi, il écrit en 1547: «La peinture me semble d'autant meilleure qu'elle ressemble plus à la sculpture, et la sculpture d'autant plus mauvaise qu'elle ressemble plus à la peinture. La sculpture est le flambeau de la peinture, et il y a entre l'une et l'autre la même différence qu'entre le soleil et la lune.» Et il ajoute, perfidie qui semble bien s'adresser à son rival Léonard: «Celui qui a écrit que la peinture était plus noble que la sculpture, s'il a aussi bien entendu les autres choses qu'il a faites que celle-là, ma servante les aurait mieux faites que lui.»

On imagine l'horrible punition que fut pour lui l'obligation, par le pape Jules II, en 1508, de décorer à fresque la voûte de la chapelle Sixtine. C'est-à-dire, à contrecœur, de recouvrir 1000 mètres carrés de peintures mettant en scène environ 300 figures, réalisation qui occupera l'artiste de 1508 à 1512, en un travail acharné et solitaire. Michel-Ange souffrira terriblement pendant ce travail de géant et se plaindra amèrement dans des lettres qui font preuve d'un découragement passionné: «Ce n'est pas là ma profession, gémit-il. Je perds mon temps sans résultat. Dieu m'assiste!» Et pourtant est-il d'autres artistes aussi peu enclins à la peinture que Michel-Ange qui aient pu atteindre une telle gloire universelle grâce à celle-ci? (voir le sonnet montrant l'artiste en train de peindre, p. 24).

Raphaël
Portrait du pape Jules II, v. 1511–1512
Huile sur panneau, 108 x 80,7 cm
National Gallery, Londres

EN HAUT:
Giuliano Bugiardini (attribué à)
Portrait de Michel-Ange au temps de la Sixtine
Dessin

PAGE 22:
Vue partielle de la fresque de la chapelle Sixtine qui se déploie sur 1000 m² et met en scène environ 300 figures. La réalisation occupera l'artiste de 1508 à 1512, en un travail acharné et solitaire.

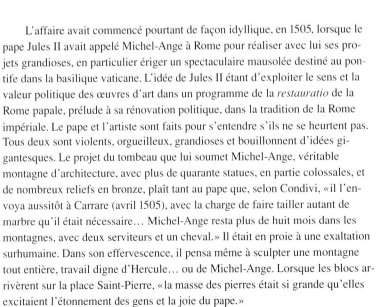

L'affaire avait commencé pourtant de façon idyllique, en 1505, lorsque le pape Jules II avait appelé Michel-Ange à Rome pour réaliser avec lui ses projets grandioses, en particulier ériger un spectaculaire mausolée destiné au pontife dans la basilique vaticane. L'idée de Jules II étant d'exploiter le sens et la valeur politique des œuvres d'art dans un programme de la *restauratio* de la Rome papale, prélude à sa rénovation politique, dans la tradition de la Rome impériale. Le pape et l'artiste sont faits pour s'entendre s'ils ne se heurtent pas. Tous deux sont violents, orgueilleux, grandioses et bouillonnent d'idées gigantesques. Le projet du tombeau que lui soumet Michel-Ange, véritable montagne d'architecture, avec plus de quarante statues, en partie colossales, et de nombreux reliefs en bronze, plaît tant au pape que, selon Condivi, «il l'envoya aussitôt à Carrare (avril 1505), avec la charge de faire tailler autant de marbre qu'il était nécessaire… Michel-Ange resta plus de huit mois dans les montagnes, avec deux serviteurs et un cheval.» Il était en proie à une exaltation surhumaine. Dans son effervescence, il pensa même à sculpter une montagne tout entière, travail digne d'Hercule… ou de Michel-Ange. Lorsque les blocs arrivèrent sur la place Saint-Pierre, «la masse des pierres était si grande qu'elles excitaient l'étonnement des gens et la joie du pape.»

Mais Jules II est changeant, conseillé par des rivaux jaloux de Michel-Ange comme Donato Bramante: il abandonne soudain le projet tandis que Michel-Ange, outré de l'affront, s'enfuie à Rome à cheval, refusant de rentrer. Il faudra

Sonnet autographe de Michel-Ange, 1509–1510, accompagé d'un croquis à la plume et à l'encre brune, 28,3 x 20 cm Archives Buonarroti, Florence

Dans ce sonnet, l'artiste se décrit avec humour en piteux état depuis qu'il peint sur ses échaffaudages en des poses incommodes et peu naturelles… Il se représente lui-même le bras levé et la tête inclinée en arrière, en train de peindre au plafond de la Sixtine une image diabolique…

«A travailler tordu, j'ai attrapé un goitre
comme l'eau en procure aux chats de Lombardie
(à moins que ce ne soit de quelque autre pays)
et j'ai le ventre, à force, collé au menton.»

«Ma barbe pointe vers le ciel, je sens ma nuque
sur mon dos, j'ai une poitrine de harpie,
et la peinture qui dégouline sans cesse
sur mon visage en fait un riche pavement.»

«Mes lombes sont allées se fourrer dans ma panse,
faisant par contrepoids de mon cul une croupe
chevaline et je déambule à l'aveuglette.»

«J'ai par-devant l'écorce qui va s'allongeant
alors que par-derrière elle se ratatine
et je suis recourbé comme un arc de Syrie.»

«Enfin les jugements que porte mon esprit
me viennent fallacieux et gauchis: quand on use
d'une sarbacane tordue, on tire mal.»

«Cette charogne de peinture,
défends-là, Giovanni, et défends mon honneur:
suis-je en bonne posture ici et suis-je peintre?»

Traduction de Pierre Leyris, Ed. Mazarine,
1983, p.: 37/38.

EN HAUT:
Lunette de *Jacob et Joseph* et deux détails,
1511–1512
Fresque, 215 x 430 cm
Chapelle Sixtine, Le Vatican

Séquence généalogique des ancêtres du
Christ.
Dans l'Evangile selon saint Matthieu:
«Jacob (à gauche) engendra Joseph,
l'époux de Marie (à droite), de laquelle
est né Jésus, que l'on appelle Christ».

attendre l'occasion de l'entrée victorieuse de Jules II dans Bologne, en 1506,
pour que les deux irréductibles se rencontrent de nouveau pour une réconcilia-
tion forcée: «Force me fut d'aller la corde au cou, lui demander pardon», notera
Michel-Ange. Jules II a une autre idée en tête. Il impose à Michel-Ange une
nouvelle tâche, aussi inattendue que périlleuse. Au sculpteur, qui ne faisait de la
peinture qu'à regret et qui ne savait rien de la technique de la fresque, il ordonne
de peindre la voûte de la Sixtine. C'était là un traquenard que Bramante et les
autres rivaux de Michel-Ange avaient mis dans la tête du pape. Leur pari était
que Michel-Ange, ou bien n'accepterait pas et se brouillerait de nouveau avec
Jules II, ou bien accepterait et serait très inférieur à Raphaël qui, en cette même
année 1509, commençait la peinture des Stanze avec un bonheur incomparable,
et qu'il lui fallait surpasser ou disparaître. Jusqu'au bout Michel-Ange tenta
d'esquiver cet honneur, donnant pour excuse que ce n'était pas son art et qu'il
n'y réussirait pas. Il proposa même Raphaël à sa place. Rien n'y fit et, devant
l'obstination du pape, il se résolut enfin à l'œuvre.

Le travail formidable commence le 10 mai 1508. Pour Michel-Ange, il faut
tout inventer. Il refuse l'échafaudage élevé par Bramante et met au point le sien.
Il refuse l'aide des peintres ayant une expérience de la fresque que l'on a fait venir de Florence pour l'aider et seul, enfermé dans la chapelle avec quelques ma-
nœuvres, non seulement il décide de peindre la voûte, mais aussi les murailles
de la chapelle et jusqu'aux fresques anciennes.

25

Au centre de la voûte ce sont d'abord les neuf *Scènes de la Genèse* qui décrivent successivement la solitude d'un Dieu athlétique porté par la nuée des esprits, solitude à laquelle remédie la création d'un homme à son image (p. 40–41) et d'une femme non moins puissante puisqu'elle porte en elle toute l'humanité. Tels des temples de chair, ces premiers humains aux torses comme des troncs, aux bras comme des colonnes, aux cuisses formidables sont déjà gros de passions et de crimes qui entraînent des châtiments que Michel-Ange décrit à la suite: *La Tentation, Le Péché originel* (p. 34 à 37), *Le Déluge* (p. 29 à 33).

Aux angles des corniches, vingt *Ignudi* (p. 28, 34, 35, 42), véritables statues vivantes, frères spirituels ou amants de l'artiste, mélanges de féminité et de masculinité par les traits et la musculature, se débattent dans toutes les positions, partagés entre l'épouvante et la fureur, l'affolement et la souffrance, en proie aux passions terrestres.

Trônent ensuite les douze *Prophètes et Sibylles* (p. 26–27), pénétrés de doute autant que de savoir, «torches tragiques de la pensée qui se consument dans la nuit du monde païen et juif; toute la sagesse humaine qui attend le Sauveur.» (R. Rolland). Au-dessus des douze fenêtres, les Précurseurs et les Ancêtres du Christ (p. 24–25) attendent dans l'angoisse et dans la peur. Enfin, aux quatre angles de la voûte s'étale l'histoire sinistre du «peuple de Dieu»: David qui égorge Goliath, Judith qui emporte la tête d'Holopherne, le Hébreux se tordant sous les morsures des serpents de *Moïse* (p. 48, 51), Aman que l'on crucifie. Pensées farouches, fanatisme meurtrier, d'un peuple sans Dieu, qu'habitent la

terreur, la tristesse et l'attente… Car pour nous qui savons comment Michel-Ange, trente ans plus tard, achèvera par *le Jugement dernier* le cycle de sa pensée, nous avons compris ce qu'ils attendent tous: le Christ qui foudroie.

Les exégètes de tout bord et de toutes les époques ont donné de ce premier cycle des interprétations iconographiques diverses et souvent contradictoires. Qu'il s'agisse de faits historiques ou détournés, ce qui compte en fait, c'est que là, Michel-Ange se livre nu, corps et âme, trahi sans doute, ainsi qu'il le craignait, par cet art de la fresque indiscret, qui lui arrache sans vergogne ses secrets, et contre lequel il ne peut que s'irriter.

Si la sculpture, selon Michel-Ange, est l'art suprême, elle est aussi selon lui l'école du peintre et l'idéal de la peinture. Socrate lui avait appris que l'objet de la peinture était de représenter l'âme et le plus intime de l'être. Les hommes qu'il peint ne l'intéressent d'ailleurs que par ce qu'il y a d'éternel en eux. Il laisse le côté fugitif et changeant de leur physionomie, le charme délicat de la vie aux autres peintres qui s'adonnent, selon lui, à «une illusion vide et fâcheuse». Pour ceux-là, l'art crée des fantômes. Les objets qu'ils représentent sont «des rêves de l'imagination humaine destinés aux gens éveillés… c'est une image qu'on montre de loin aux petits enfants sans raison, pour leur faire illusion». Pour Michel-Ange, ces fantômes des sens détournent l'âme des seules réalités: les Idées éternelles.

Or, les peintures de Michel-Ange sont grandes, elles aussi, car elles sont imitées de sa sculpture. Surtout, elles révèlent tout de lui et, à travers lui, les «idées immortelles» qui lui tiennent à cœur. Qui connaît cette œuvre, connaît aussi Michel-Ange, en particulier la dualité qui est l'essence de son personnage, les mondes ennemis qui s'affrontent et s'assemblent, en lui et dans son œuvre: une brutalité matérielle et un idéalisme serein; un enivrement de la force, de la beauté païenne et un mysticisme chrétien; un mélange de violence physique et

Deuxième travée de la voûte,
Le Déluge, 1508–1509
Fresque, 280 x 570 cm
Chapelle Sixtine, Le Vatican

PAGE 28:
Ignudi, détail près du *Déluge* et au-dessus
de la Sibylle d'Erythrée, 1509

Aux angles des corniches, vingt ignudi, véritables statues vivantes, frères spirituels ou amants de l'artiste, semblent en proie aux passions terrestres comme l'est leur créateur. Sans rapport avec les scènes bibliques hautement signifiantes qui les entourent, ces beaux jeunes gens sont les mêmes, un peu vieillis, qui tenaient compagnie à la Sainte Famille du *Tondo Doni* (p. 10–11). Ils ne semblent avoir d'autre raison d'être là, sinon pour faire plaisir à l'artiste en témoignant de leur beauté ambiguë.

PAGES 30 ET 31:
Le Déluge (détail)

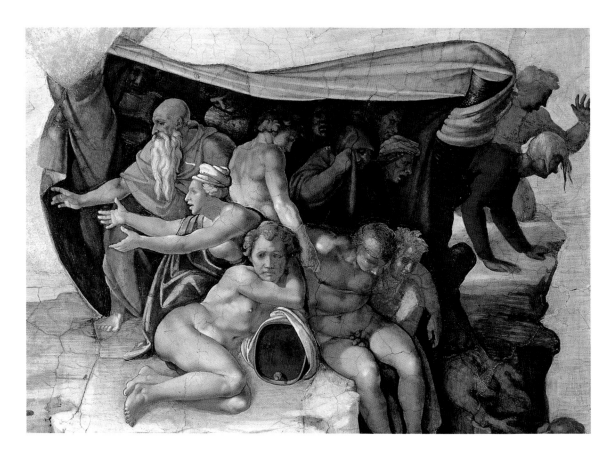

Le Déluge (détail)

Il semble que *Le Déluge* ait été la première scène exécutée par l'artiste et celle qui posa le plus de problèmes techniques. En particulier, selon Condivi, Michel-Ange fut confronté au problème des moisissures et songea à abandonner. Mais le pape lui envoya l'architecte Giuliano da Sangallo qui l'en débarassa. Michel-Ange, comme à son habitude, a choisi de représenter l'épouvante et l'angoisse plutôt que le seul motif de l'arche. La scène est d'une intensité dramatique d'autant plus forte que le spectateur en connaît l'issue fatale: la colère de Dieu n'épargnera que les occupants de l'arche.

PAGE 33:
Le Déluge (détail)
Cette mère sculpturale a l'héroïsme farouche et la force herculéenne d'un Titan auquel on aurait rajouté une paire de seins.

PAGES 34 ET 35:
Quatrième travée de la voûte, ***Le Péché originel, Adam et Eve au Paradis***, 1509–1510
Fresque, 280 x 270 cm
Chapelle Sixtine, Le Vatican

d'abstraction intellectuelle; une âme platonicienne dans un corps d'athlète. Cette union indissoluble de forces opposées, qui fit sans doute une partie de ses souffrances et qui fait aussi sa grandeur unique et universelle.

Que peut-on ressentir devant le spectacle inouï de la chapelle Sixtine mise en scène par Michel-Ange? Un peu sans doute ce que ressentit Fabrice del Dongo, le héros du roman de Stendhal, *La Chartreuse de Parme* (1839), en pleine bataille de Waterloo. Fabrice ne pouvait voir de cette bataille qu'un peu de fumée et quelques cavaliers ou fantassins s'entre-égorgeant. Il ne pouvait la voir en son entier, encore moins l'imaginer dans son ensemble. De même, le visiteur de la chapelle Sixtine, devant cette voûte et ces murs revêtus d'un grouillement tumultueux de géants, plus grands les uns que les autres, ne peut-il saisir d'emblée l'unité puissante qui s'en dégage. Laissons à Romain Rolland, qui fut familier de Michel-Ange, comme il le fut aussi de cet autre génie-frère, Beethoven, nous décrire ses émotions:

«Il est bien dangereux de décrire l'œuvre: on se brise à cette tâche impossible. On a multiplié les analyses et les commentaires. Ils tuent l'œuvre, en l'émiettant. Il faut se mettre en face et se plonger dans l'abîme de cette âme hallucinée. C'est une œuvre terrible, qu'on ne peut regarder de sang-froid, à moins de n'y rien comprendre. Il faut la haïr ou l'adorer. Elle étouffe, elle brûle. Pas de paysage, pas de nature, pas d'air, pas de tendresse, presque rien d'humain. Un symbolisme de primitif, une science de décadent, des architectures de corps nus

convulsés, une pensée aride, sauvage et dévorante, comme un vent du Sud dans un désert de sable. Pas un coin d'ombre, pas une source où se désaltérer. Une trombe de feu. Le vertige grandiose de la pensée délirante, et sans but autre que Dieu où elle va se perdre. Tout appelle Dieu, tout le craint, tout le crie. Un ouragan souffle, d'un bout à l'autre de ce peuple de géants, – l'ouragan qui fait tourbillonner dans l'air le Dieu qui crée le soleil, comme un bolide lancé au travers des espaces. Le grondement de la tempête vous entoure et vous assourdit. Nul moyen de s'en abstraire. Si l'on ne veut point haïr cette force brutale qui vous violente, la seule ressource, c'est de s'y abandonner sans résistance, comme ces âmes de Dante qu'emporte un cyclone éternel. Quand on pense que cet enfer fut, pendant quatre années, l'âme même de Michel-Ange, on comprend – ce qu'on verra plus loin – qu'il en soit resté pour longtemps brûlé jusqu'aux sources de la vie, comme une terre surmenée qui ne peut plus produire.

Sur cette voûte et ces murs maçonnés de corps héroïques, dont le grouillement tumultueux et l'unité puissante évoquent tout ensemble les rêves monstrueux de l'imagination hindoue et l'impérieuse logique, la volonté de fer de

Le Péché originel (détail)
Selon Michel-Ange, le serpent tentateur était une femme, ainsi qu'en témoigne le sein qu'il lui attribue.

PAGE 36:
Le Péché originel (détail)
Michel-Ange est coutumier du rapprochement d'un visage supposé féminin et d'un sexe résolument masculin. On l'a déjà vu dans le *Tondo Doni* (p. 10–11). On le verra encore dans le détail de Catherine d'Alexandrie agenouillée et se tournant vers saint Blaise, en un «geste peu honnête» qui suscita, lors de l'inauguration, un vrai scandale (p. 73).

Etude pour *La Création d'Adam*, v. 1510
Sanguine, 19,3 x 25,9 cm
The British Museum, Londres

PAGE 39:
Etude pour la figure d'Adam, 1511
Sanguine, 25,3 x 119,9 cm
Tylers Museum, Haarlem

PAGES 40 ET 41:
Sixième travée de la voûte, *La Création d'Adam*, 1510–1511
Fresque, 280 x 570 cm
Sans doute la plus universellement connue des images de la Sixtine.

PAGE 42:
L'un des quatre *ignudi* qui entourent le prophète Jérémie.
Michel-Ange, en référence aux glands héraldiques de Jules II, en a profité pour disposer près de lui une belle botte de glands de forte taille...

PAGE 43:
Etude pour *La Sibylle libyenne*, 1511
Craie sur papier, 29 x 21 cm
The Metropolitan Museum of Art, New York

l'antique Rome, fleurit une beauté sauvage et pure. Nulle part on n'a rien vu de pareil. Elle a quelque chose à la fois de bestial et de divin. Un parfum d'élégance et de noblesse hellénique s'y mêle à une odeur d'humanité primitive. Ces géants, aux poitrines olympiennes, aux reins, aux flancs énormes, ‹où l'on sent, comme disait le sculpteur Guillaume, le poids des lourdes entrailles›, sont à peine dégagés encore de leur double origine: de la bête et des dieux.»

De ce combat titanesque, Michel-Ange était donc sorti vainqueur, décevant les espoirs de ses ennemis qui escomptaient son échec. Mais au prix de quelles souffrances et de quelles luttes qui lui avaient donné plusieurs fois l'envie de tout abandonner et de fuir de nouveau. Ainsi, au beau milieu du *Déluge*, la fresque se mit à moisir, altérant les figures et les couleurs. Désespéré, Michel-Ange songe aussitôt à abandonner. Mais le pape lui envoie l'architecte Giuliano da Sangallo, habile technicien, qui le débarrasse des moisissures: le mal venait de la chaux qui contenait trop d'eau.

La technique de la fresque est en effet délicate et nécessite une grande maîtrise du métier dont Vasari nous donne un exemple: il faut «exécuter en une seule journée la totalité du travail prévu... cette peinture s'exécute sur la chaux encore fraîche, sans répit, jusqu'à l'achèvement de la portion prévue pour la journée... les couleurs posées sur un mur humide produisent un effet qui se modifie quand il devient sec...» Contrairement aux autres techniques (l'huile, la détrempe), la peinture à fresque ne peut être retouchée qu'à sec, or, «ce qui a été travaillé à fresque demeure et ce qui a été retouché à sec est emporté par l'éponge mouillée...»

Les rapports entre le pape et son peintre sont souvent orageux. «Un jour, dit Condivi, le pape lui ayant demandé quand il aurait fini, Michel-Ange répondit,

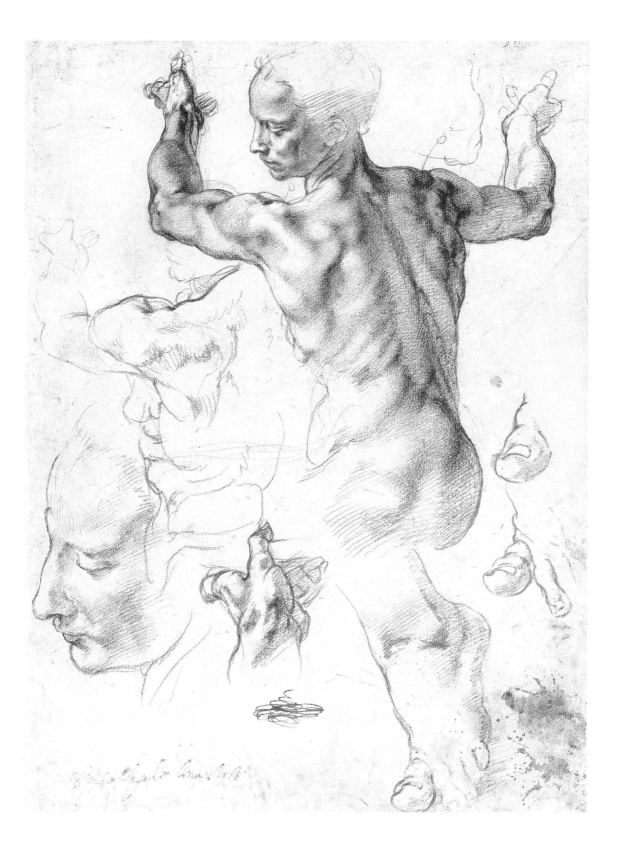

Huitième travée de la voûte, **La Création des Astres**, 1511
Fresque, 280 x 570 cm
Ici, la création du soleil... et de la lune.

«Dieu fit les deux grands luminaires, le grand
luminaire pour présider au jour, le petit pour
présider à la nuit et les étoiles.» (Genèse, 1, 16).

Neuvième travée de la voûte, 1511
Deux médaillons prolongent *La Séparation
de la lumière et des ténèbres:*

La Sibylle de Libye
(395 x 380 cm) qui ferme et repose le grand
volume des temps.

Le Prophète Jérémie
(390 x 380 cm) qui annonce le nouveau
pacte d'alliance que le Seigneur a l'intention de conclure avec son peuple.
Ces scènes annoncent *Le Jugement dernier*
et l'on a souvent interprèté le personnage
de Jérémie, plongé dans une méditation
douloureuse, comme un autoportrait imagi-
naire de Michel-Ange, oppressé lui-même
par l'angoisse de la «seconde mort» et le
poids de ses péchés.

selon son habitude: ‹Quand je pourrai!› Le pape, qui était irritable, le frappa de
son bâton en disant: ‹Quand je pourrai! Quand je pourrai!› Michel-Ange courut
chez lui et fit ses préparatifs pour quitter aussitôt Rome. Par bonheur, le pape se
hâta de lui envoyer Accursio, un très aimable jeune homme, qui lui apporta 500
ducats, l'apaisa du mieux qu'il put et excusa Jules II. Michel-Ange accepta les
excuses.»

Mais la fresque n'était toujours pas terminée et le pape impatient finit par
le menacer de le faire jeter à bas de son échafaudage. Michel-Ange dut obéir et
dévoiler son chef-d'œuvre: «De là vient, disait-il ensuite, que cette œuvre
n'était pas aussi achevée qu'il eût souhaité, parce que la hâte du pape l'en avait
empêché.»

Le 1er août 1511, Jules II disait la messe à la Sixtine, *ut picturas novas ibi-
dem noviter detectas videret*, et l'œuvre entière était terminée en octobre 1512.
Le 31 octobre 1512, la chapelle Sixtine était ouverte au public. Quatre mois plus
tard, Jules II mourait. Lui qui avait puni Michel-Ange de son abandon en l'obli-
geant à peindre au lieu de sculpter, était puni à son tour en ne profitant guère du
chef-d'œuvre qu'il avait suscité.

Les Rêves d'un Titan   1513–1534

Les souffrances qui ont accompagné les quatre années passées sur les échafaudages de la Sixtine s'estompent, «le bouillonnement s'apaise peu à peu, comme une mer démontée qui rentre dans son lit» (R. Rolland). En dépit du triomphe de sa fresque, Michel-Ange peut enfin abandonner la peinture pour revenir à la sculpture et au grand projet qui lui tient à cœur: *le Tombeau de Jules II* (p. 50). Ce que Condivi traduit par ces mots: «Ainsi Michel-Ange entre à nouveau dans la tragédie du tombeau.» La «tragédie», dans son entier, s'étend en effet sur quarante ans, de 1505, date du premier projet, jusqu'en 1545, date de l'achèvement du tombeau après la sixième version. Pas moins de six projets, en effet, se succédèrent, et l'on ne peut rendre Michel-Ange – qui voit toujours trop grand – seul responsable de ce long délai. Durant cette période, les événements se suivent, les papes et leurs idées changèrent aussi.

Jules II, réaliste, avait stipulé dans son testament que le monument soit réduit dans des proportions moins colossales et il ne semble pas que les exécuteurs testamentaires se soient conformés à cette demande. De son côté Michel-Ange s'est isolé pour travailler au *Tombeau de Jules II*, mais dans la solitude, le projet a grandi encore et est devenu plus grandiose que le précédent. Le nouveau pape, Léon X, Jean, fils de Laurent de Médicis, l'encourage au contraire, et lui signe un nouveau contrat le 6 mars 1513. Michel-Ange, ravi que l'on accepte ses idées, note: «A la mort du pape Jules et au commencement du règne de Léon, l'Aginensis (cardinal d'Agen, exécuteur testamentaire) voulut agrandir le monument et faire l'œuvre plus considérable que n'était mon premier dessein; un contrat fut fait.» Il s'engage à exécuter le monument en sept ans et à n'entreprendre, jusqu'à ce qu'il l'eût fini, aucun autre travail d'importance. Il toucherait pour cette œuvre 16 500 ducats, dont on lui retiendrait 3 500, payés du vivant de Jules II. Le nouveau projet comprend maintenant trente-deux grandes statues destinées à illustrer le triomphe de l'Eglise sur le monde païen. A l'étage inférieur, devaient se trouver les Victoires, c'est-à-dire «les provinces subjuguées par ce pontife [Jules II] et soumises à l'Eglise apostolique» (Vasari); les *Esclaves*, symbolisant les peuples païens reconnaissant la vrai foi. Les sculptures du deuxième niveau, Moïse et Saint-Paul, exprimant la victoire de l'esprit sur le corps. Selon le contrat détaillé, le monument (p. 50 en haut à dr.) devait être appliqué au mur de l'église: «A chacun des trois côtés, il y aurait deux tabernacles, contenant chacun un groupe de deux figures; à chacun des pilastres flanquant les tabernacles, une statue. Entre les tabernacles, des reliefs de bronze. Sur la plate-forme, au-dessus du soubassement, la figure du pape serait tenue par

Cette étude pour la tête de Léda est le seul vestige qui nous reste du tableau, v. 1530
Sanguine, 33,5 x 26,9 cm
Casa Buonarroti, Florence
Il semble que ce visage de femme soit en réalité celui d'un *garzone* de l'atelier, car on devine un pourpoint à la naissance du cou.

EN HAUT:
Etude pour le prophète Jonas, v. 1512, qui clôt la dixième travée. On la rapproche aussi du visage de la Vierge du *Tondo Doni* (p. 10–11). Pour une même pose, Michel-Ange passe sans problème du féminin au masculin.

PAGE 48:
Détail du *Moïse* pour le Tombeau de Jules II, v. 1515–1516
Eglise Saint-Pierre-aux-Liens, Rome

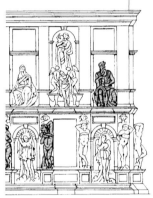

quatre figures sur des piédestaux. Enfin le couronnement du tombeau aurait trente-cinq palmes de haut et cinq statues colossales.» Il y a loin, on le voit, entre le projet qui enflamme l'imagination de l'artiste à l'époque et la réalisation achevée de 1545 qui n'en est que le pâle reflet. Les rêves de ce Titan, entre 1516 et 1534, sont en effet jalonnés de grands projets non réalisés.

Pendant trois ans, pourtant, Michel-Ange se consacre presque exclusivement à cet ouvrage, et du projet ambitieux sortiront ses œuvres de sculpture les plus parfaites. Qu'on en juge: le *Moïse* (p. 48, 51) à lui seul résume le monument. Il devait être une des six figures colossales couronnant l'étage supérieur du monument. Aujourd'hui, c'est lui que l'on visite à l'église Saint-Pierre-aux-Liens de Rome. Frère aîné des *Prophètes* de la Sixtine, n'est-il pas aussi l'image d'un Michel-Ange qui se voudrait, comme Tolnay décrit la statue: une figure «frémissante d'indignation où l'explosion du courroux est domptée.» Car, partant d'une allégorie froide, abstraite et quasi courtisane quant au monument dont les statues devaient exprimer que «toutes les Vertus étaient prisonnières de la Mort avec le pape mort», Michel-Ange, emporté par sa passion comme à l'accoutumée, fait tomber les mensonges et jette un cri furieux de révolte contre la bassesse du monde et l'oppression de la vie. Vasari, admiratif, déclare: «Il a si

Les projets successifs du Tombeau de Jules II, reconstitués d'après Charles de Tolnay:
A gauche, ce qui reste du projet: le Moïse, en bas, qui résume à lui tout seul le monument, et qui, tel un miroir magique, renvoie à Michel-Ange l'image divinisée de son âme.
Ci-dessus, en haut le projet ambitieux de 1513 et en dessous celui de 1516 déjà réduit, avec le Moïse au premier étage.

Esclave Atlas, 1519–1530
Marbre, hauteur 277 cm
Galerie de l'Académie, Florence

Esclave mourant, 1513
Marbre, hauteur 215 cm
Musée du Louvre, Paris

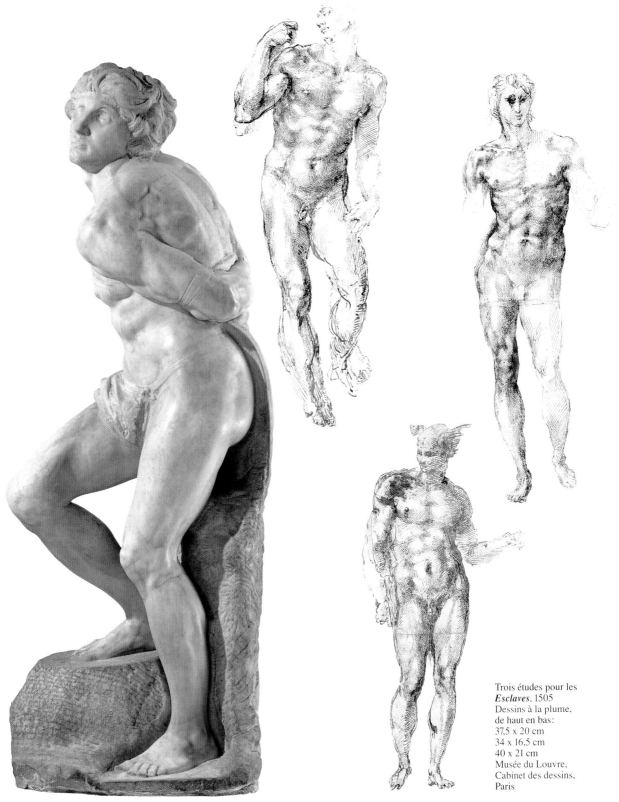

Esclave rebelle, 1513
Marbre, hauteur 215 cm
Musée du Louvre, Paris

Trois études pour les
Esclaves, 1505
Dessins à la plume,
de haut en bas:
37,5 x 20 cm
34 x 16,5 cm
40 x 21 cm
Musée du Louvre,
Cabinet des dessins,
Paris

bien rendu dans le marbre le caractère divin imprimé par Dieu dans ce visage de grande sainteté ; outre les plis profonds réalisés avec la superbe volute des bords, les muscles des bras, les os et les nerfs des mains sont d'une exécution si belle et si parfaite, jambes, genoux et pieds traités avec les sandales voulues.»

De même, avec deux autres chefs-d'œuvre issus du monument où ils devaient être placés aux pilastres de l'étage inférieur, l'*Esclave mourant* (p. 52) et l'*Esclave rebelle* (p. 53), supposés au départ symboliser les peuples païens reconnaissant la vraie foi, Tolnay suggère que Michel-Ange, dépassant une fois encore son propos, les transforme «de trophées en symboles de la lutte âpre et sans espoir de l'âme humaine contre les chaînes du corps». Quoi qu'il fasse, on le voit, Michel-Ange en peinture se trahit, dans le marbre il fait plus : il se sculpte…

On a beau être pape et de la famille des Médicis, quand on succède à un membre de la famille on est un peu jaloux de lui. Pendant trois ans, Léon X s'est bien gardé de sembler mettre obstacle à la glorification de son prédécesseur et a laissé toute liberté à Michel-Ange de poursuivre son rêve. En 1515, il sort de sa réserve et entreprend d'arracher l'artiste à sa tâche pour le consacrer à ses propres projets. Il commence par flatter l'orgueil aristocratique de Michel-Ange en nommant son frère Buonarroto *comes palatinus*, et en donnant aux

Buonarroti le droit de placer dans leurs armoiries la *palla* des Médicis, avec trois *lis* et le chiffre du pape. Surtout il lui tend l'appât auquel Michel-Ange ne résiste jamais: un nouveau projet, celui de bâtir la façade de San Lorenzo, l'église des Médicis à Florence. Persuadé de pouvoir mener deux œuvres de front, Michel-Ange s'enthousiasme pour le projet de Léon X et envoie même un dessin pour la façade (p. 59). Il écrit fiévreusement à Domenico Buoninsegui, en juillet 1517: «J'ai la volonté de faire de cette façade de San Lorenzo une œuvre qui soit un miroir de l'architecture et de la sculpture pour toute l'Italie… Je la ferai en six ans. Messer Domenico, donnez-moi une réponse ferme au sujet des intentions du pape et du cardinal: cela me ferait la plus grande des joies.» Le contrat est signé le 19 janvier 1518. On lui donne 8 ans.

Les héritiers de Jules II avaient contre-attaqué en liant Michel-Ange par un nouveau contrat moins astreignant que l'artiste avait signé aussitôt, persuadé de pouvoir mener les deux œuvres de front. Le monument du pape était réduit de moitié, les statues passaient de trente-deux à vingt et on lui accordait neuf années de plus pour achever le travail.

Mais, d'après Michel-Ange, Léon X lui retira bientôt toute permission de travailler au monument de Jules II: «Pape Léon, écrit-il, ne voulait pas que je fisse le monument de Jules.» L'histoire, comme souvent, se termina mal. Ne

Tombeau de Laurent de Médicis, 1524–1531
Marbre, 630 x 420 cm
Chapelle Médicis, San Lorenzo, Florence

PAGE 54 EN HAUT:
Tombeau de Julien de Médicis, 1526–1531
Marbre, 630 x 420 cm
Chapelle Médicis, San Lorenzo, Florence

PAGE 54 EN BAS:
Julien de Médicis, détail de la tête,
1526–1533
Marbre, hauteur de la statue entière 173 cm

PAGE 57:
L'Aurore, détail du Tombeau de Laurent
de Médicis, 1524–1531
Marbre, largeur 203 cm

Etudes de têtes grotesques, 1530
Sanguine, 25,5 x 35 cm
The British Museum, Londres

Décoration murale
Chapelle Médicis, San Lorenzo, Florence

Masque de **La Nuit**, détail du Tombeau de
Julien de Médicis, 1526–1533
Marbre
Chapelle Médicis, San Lazaro, Florence

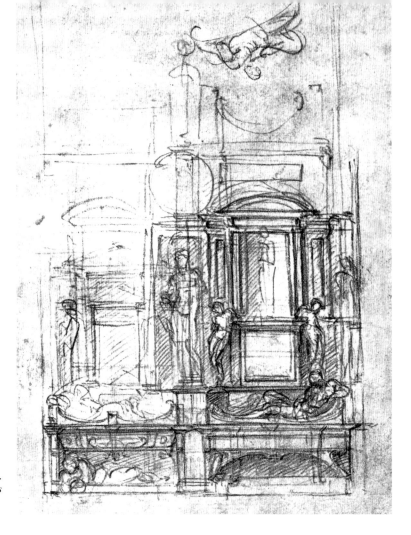

Projet pour les Tombeaux des Médicis,
1516–1532
Pierre noire, 26,4 x 18,8 cm
The British Museum, Londres

Jacopo Chimenti, dit L'Empoli
**Michel-Ange présentant à Léon X son pro-
jet pour la façade de San Lorenzo et autres
constructions de la Laurentienne**, 1619
Casa Buonarroti, Florence

voyant rien venir, lui non plus, le 12 mars 1520, un bref du pape délia Michel-
Ange du contrat de 1518 pour la façade de San Lorenzo. En vérité, le génie avide
et changeant de l'artiste était cette fois le vrai coupable. Voulant trop embrasser,
Michel-Ange n'était pas plus arrivé à élever la façade de San Lorenzo qu'à finir
le tombeau.

Nouveau pape, nouveau projet. Le cardinal Jules de Médicis, élevé au trône
pontifical sous le nom de Clément VII en 1523, veut à son tour s'attacher
Michel-Ange en lui confiant la construction de la sacristie nouvelle de San
Lorenzo et les tombeaux des Médicis (p. 54–55). Il s'agissait d'élever quatre
tombeaux pour Laurent le Magnifique; Julien, son frère; Julien, duc de Ne-
mours, son fils, et de Laurent, duc d'Urbin, son petit fils, auxquels on ajouta
celui de Léon X et le sien propre. La construction de la bibliothèque de San
Lorenzo lui était aussi confiée (p. 59).

Si ces projets s'écroulèrent encore, ce ne fut pas faute de la sollicitude de
Clément VII. Il lui avait attribué une pension triple de celle qu'il demandait
et une maison à San Lorenzo. Il le soutenait moralement en lui adressant des
messages affectueux: «Tu sais que les papes n'ont pas la vie longue, et nous ne

Entrée et vestibule de la Bibliothèque Laurentienne
Les premiers plans datent de 1524, mais la construction ne fut pas achevée avant 1532–1533.

Etude pour la façade de San Lorenzo, 1517

pouvons pas désirer plus ardemment que nous faisons de voir la chapelle avec les tombeaux de nos parents… ainsi que la bibliothèque. Nous recommandons tous les deux à ton zèle.» Inquiet de sa santé, il lui interdisait «de travailler, de quelque façon que ce fut, sinon au tombeau [de Jules II] et à l'œuvre que nous t'avons confiée, en sorte que tu puisses plus longtemps glorifier Rome, ta fa-mille et toi-même». Il lui disait aussi: «Quand on te demande un tableau, tu dois t'attacher un pinceau au pied, faire quatre traits et dire: ‹le tableau est fait›.»

Au milieu des travaux, la révolution éclata à Florence. N'arrivant pas à concilier son amour de la liberté avec ses obligations envers les Médicis, Michel-Ange se trouva au premier rang des révoltés. La République lui demanda alors de s'occuper des fortifications de Florence et il y mit tout son zèle. Mais Florence dut capituler. Le pape vainqueur pardonna. Michel-Ange reprit, en septembre-octobre 1530, son travail à la gloire de ceux qu'il avait combattus.

Mais, comme celui de Jules II, le projet des Médicis ne fut jamais achevé. Ce que nous en connaissons aujourd'hui n'a qu'un lointain rapport avec ce dont le Titan avait rêvé. Les sculptures qui émergent du désastre n'ont que peu à voir avec le sujet: rendre hommage à la famille des Médicis. Comme à l'accoutumée, Michel-Ange nous confronte au couple *Le Jour* et *La Nuit*, et à celui de l'*Aurore* et le *Crépuscul*e (p. 56–57), lesquels, au lieu de nous dire, comme prévu par l'ar-tiste: «Par notre course rapide nous avons conduit à la mort le duc Julien», sont en réalité des allégories du temps auquel le corps humain est assujetti. Qui pense seulement aux Médicis? De nouveau, souffle le grand vent aride et brûlant de la Sixtine, cher à Romain Rolland, mais ce n'est plus l'attente tragique du Fils de l'Homme, c'est le néant qui pèse sur ces géants. En ce qui concerne les autres

Le Châtiment de Tythos, v. 1533
Pierre noire, 19 x 33 cm
Royal Library, Windsor

Carton érotique évoquant le «feu» dont brûlait Michel-Ange à l'égard de Cavalieri et dont il lui fit cadeau.

PAGE 60:
L'Ame damnée, v. 1525
Encre noire, 35,7 x 25,1 cm
Musée des Offices, Florence

sculptures, réalisées ou non, Vasari demanda en vain à Michel-Ange à quelles niches il les destinait et l'on ne sut où les mettre.

Quant à la Bibliothèque Laurentienne, Michel-Ange quitta Florence en n'ayant terminé que la construction du vestibule et du plafond. L'escalier n'était pas commencé et lorsqu'on voulut le faire exécuter on ne trouva aucun modèle. Prié par Vasari de préciser ses intentions, Michel-Ange répondit aimablement

PAGE 63:
La Chute de Phaéton, v. 1533
Pierre noire, 41,3 x 23,4 cm
Royal Library, Windsor
Ce troisième héros, après Tythos (p. 61) et
Ganymède (p. 1), complète ce cycle érotique
en hommage à Tommaso dei Cavalieri, «La
forza d'un bel viso...»:
«Quel éperon pour moi que la puissance
d'un beau visage! Rien d'autre au monde ne
me réjouit comme de m'élever vivant parmi
les esprits bienheureux, par une grâce à côté
de laquelle toute autre me paraît médiocre.»
«Si l'œuvre s'harmonise bien avec son créateur, pourquoi la justice me voudrait-elle
coupable, si j'aime, si je brûle, et si mes
conceptions divines font l'honneur et la
gloire de toute noble personne?»

«qu'il ne se ferait pas prier, s'il pouvait s'en souvenir, qu'il avait bien une vague idée – comme dans un songe – d'un certain escalier, mais qu'il ne croyait pas que ce fût celui qu'il avait projeté, car il était absurde».

Selon Romain Rolland: «Il avait si bien renoncé à toutes ses entreprises qu'il les avait effacées de sa mémoire. Ou plutôt, sa mémoire s'était effacée avec elles.» Michel-Ange avoue lui-même: «La mémoire et l'esprit m'ont devancé pour m'attendre dans l'autre monde.»

Les Feux de l'Amour   1535–1547

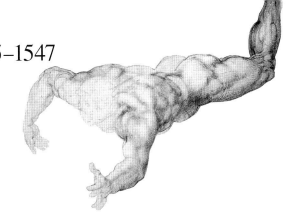

Le 23 septembre 1534, Michel-Ange, vieilli et découragé par ses multiples échecs, revient définitivement à Rome, où il restera jusqu'à sa mort en 1564. Désormais sans rival qui puisse l'égaler, il domine, tel un Himalaya, le paysage de l'art italien, et tout le monde lève les yeux pour en admirer les sommets. Et pourtant il est dans un grand désarroi moral. Son cœur, affamé d'amour, cherche à se faire illusion sur sa solitude intellectuelle. La mort et le péché le hantent ainsi que le sentiment de son indignité et la terreur de cette «seconde mort» qu'est la perdition éternelle:

«Je vis pour le péché, je vis en me mourant: ma vie n'est plus à moi, c'est celle du péché; mon bien me vient du Ciel et mon mal de moi-même par ce vouloir infirme qui m'a déserté».

Son tourment vient de cet amour total qu'il voue au beau et raffiné Tommaso dei Cavalieri qu'il a connu en 1532. S'il a décidé de se fixer à Rome, c'est pour être à proximité de l'objet de son adoration. Cette passion ravageuse et aussi salvatrice se traduit par des louanges démesurées. Ainsi il n'hésite pas à lui écrire: «Votre nom me nourrit le cœur et l'âme, remplissant l'un et l'autre de tant de douceur que je ne ressens plus ni l'ennui ni la crainte de la mort dès que je l'ai en mémoire. Et si mes yeux avaient aussi leur part, pensez en quel état je serais.»

Cet amour fait jaser et provoque d'odieux cancans. Et pourtant si Michel-Ange est l'esclave de ses sens et du désir dévorant qui le ronge, son âme désormais cherche impérieusement à les faire taire. C'est un long combat dont on peut suivre les péripéties à travers ses sonnets et qui souvent le laisse désespéré:

«Mais si de près mon cœur ne saurait endurer
cette extrême beauté qui éblouit les yeux
et si, quand elle est loin, je perds confiance et paix,
que devenir? Quel guide ou même quelle escorte
pourra me soutenir et me garder de toi
dont l'approche me brûle et le départ me broie?»

Longtemps on a feint de croire que ces poésies s'adressaient à d'hypothétiques femmes et l'on mettait l'orthographe au féminin. Le petit-neveu de Michel-Ange, qui publia la première édition des poésies en 1623, prétendit qu'elles étaient adressées à une femme. Ce travestissement dura jusqu'à Cesare Guasti qui, dans son édition de 1863, rétablit le texte exact mais n'osa pas, cependant,

Portrait présumé de Vittoria Colonna,
v. 1536
Sanguine rehaussée à la plume,
32,6 x 25,8 cm
The British Museum, Londres

EN HAUT:
Etude pour *Le Jugement dernier* (détail),
1534–1535
Pierre noire, 40 x 26 cm
The British Museum, Londres

PAGE 64:
Le Jugement dernier: détail Le Christ et la Vierge, 1536–1541
Fresque, dim. totales 1700 x 1330 cm
Chapelle Sixtine, Le Vatican

Etude pour l'ascention des **Apôtres et des**
Bienheureux autour du Christ Juge et de la
Vierge pour la chapelle Sixtine (détail), 1535
Pierre noire, 34,4 x 29 cm
Musée Bonnat, Bayonne

PAGE 67:
Le Jugement dernier
Vue d'ensemble de cette vaste composition
de 17 mètres de hauteur sur plus de 13
mètres de largeur qui occupe la totalité
de l'espace qui domine l'autel.

Michel-Ange exécuta les premiers cartons à
l'automne 1535 et la fresque fut achevée le
18 novembre 1541.

admettre que Tommaso dei Cavalieri fût un personnage réel, et s'efforça de
croire que sous ce nom supposé se voilait la seule femme que Michel-Ange eût
aimée: Vittoria Colonna (p. 65).

Or, ainsi que le note Pierre Leyris dans l'édition des poésies choisies et tra-
duites par ses soins (Editions Mazarine, 1983), « … puisqu'il ne faisait pas métier de rimer, puisqu'aucun imprimeur n'attendait sa copie, eût-il écrit autant de
sonnets à seule fin de se mentir à lui-même, de mentir à Cavalieri et d'abuser les
quelques amis parmi lesquels circulaient certains de ses vers? Cela paraît aussi
absurde qu'incompatible avec la rudesse et la droiture de son génie». Et de préciser: «Jusqu'à présent, point de femme que l'on puisse voir autour de Michel-
Ange, hors les madones qu'il sculptait. La plupart de ses corps féminins sont tra-
cés à partir de modèles masculins ou de statues antiques repensées. » Il est vrai
que certains poèmes de la fin sont adressés à une certaine «donna bella e cru-
dele», mais, selon Ettore Barelli, cette «donna» est «si mystérieusement absente
de la biographie michel-angélique, qui pourtant n'est point avare de détails,
qu'elle apparaît comme un prétexte à rimes».

Le Jugement dernier (détail)

Dans les représentations du *Jugement dernier* antérieures à celle de Michel-Ange, le Christ Juge, conformément à la description de saint Matthieu, était représenté «assis sur le trône de sa gloire», avec à ses côtés les apôtres, eux-mêmes assis «sur les trônes des douze tribus d'Israël». Le Christ de Michel-Ange, ce qui provoqua le scandale, n'est ni assis ni barbu. C'est un bel et jeune athlète imberbe qui s'avance, le bras levé, non pas

dans un geste de condamnation terrible et définitive, mais plutôt dans un geste apaisant marquant la fin des temps et l'acte final des vicissitudes humaines.

Le groupe des bienheureux et des martyrs entoure le Christ. La figure dominante, à gauche, de saint Jean-Baptiste, fait pendant, à droite, à saint Pierre, qui tend au Christ deux énormes clés, emblèmes du pouvoir dévolu aux papes de défaire et de lier.

Au-dessous du Christ, sont représentés saint

Laurent, qui tient son gril, et saint Barthé-lemy, avec la peau dont il fut écorché lors de son martyre. Dans la peau de saint Barthé-lemy, on reconnaît un autoportrait drama-tique de Michel-Ange, comme si celui-ci avait voulu ainsi laisser un signe de sa ter-reur face à la «chair» et au «péché», mais aussi de sa soif de renouveau spirituel et de salut.

Aux yeux de Michel-Ange, au jour de la «résurrection de la chair», la beauté des corps nus témoignait de la gloire des élus. Mais les accusations d'obscénités lui répon-dirent au contraire et firent peser sur la fresque la menace d'être détruite. Le pape Paul IV se contenta de faire peindre par Daniele da Volterra – surnommé depuis le «Braghettone» – de pudiques culottes aux personnages. Il faudra attendre Jean-Paul II pour définir Le *Jugement dernier* restauré, comme «le sanctuaire de la théologie du corps humain».

De la *Léda et le cygne*, seul tableau érotique mettant une femme en scène dont Michel-Ange eut le projet, il ne reste qu'une très belle étude de tête à la sanguine (p. 49). Encore semble-t-il que Michel-Ange l'ait dessinée d'après un *garzone* de l'atelier, car on devine un pourpoint à la naissance du cou. En revanche, c'est pour Cavalieri que Michel-Ange fit nombre de cartons érotiques dont un *Enlèvement de Ganymède* (p. 1), et un *Tythos* dont un vautour ronge le foie (*Le Châtiment de Tythos*, p. 61), deux héros qui incarnent, pour Michel-Ange, le «feu dont il brûle». Un troisième héros, *Phaéton* (p. 63), tombant avec son char dans le Pô, complète ce cycle en hommage au «bel viso».

La seule femme qui apparaisse dans la vie de Michel-Ange, non pas en amante, mais en amie spirituelle, est Vittoria Colonna, marquise de Pescara (p. 65), à qui il adresse des dessins religieux. On sait qu'en 1538, ils se voyaient chaque dimanche au couvent dominicain de San Silvestro, à Monte Cavallo. Veuve au profil masculin et sévère, il la décrit lui-même dans un madrigal: «Un uomo in una donna.» Selon Condivi, «il était amoureux de son divin esprit». Tourmentée par ses doutes religieux, Vittoria se retira dans un cloître, mais elle revenait à Rome, de temps en temps, pour apaiser l'âme de son ami et l'exhorter au travail malgré le doute et le désespoir qui hantaient Michel-Ange. C'est Vittoria qui lui rendit la foi qui ne l'abandonna plus. Ainsi qu'il le lui écrit dans un madrigal, elle est pour lui «une véritable médiatrice entre le Ciel et lui, une *divina donna* qu'il supplie de condescendre à s'abaisser jusqu'à lui pour hausser sa misère jusqu'à elle sur la route escarpée du salut». En quelque sorte, Vittoria est pour Michel-Ange, ce grand admirateur de Dante dont il connaît les vers par cœur, ce que le personnage de Béatrice est au poète. Nul doute que le génie et

Le Jugement dernier (détail)
Lunette de gauche, les anges soulevant la croix

PAGE 70:
Le Jugement dernier (détail)
A l'extrême-gauche du cercle des bienheureux, sont rassemblées les saintes, vierges et martyres, avec les sibylles et les héroïnes de l'Ancien Testament. On a coutume de reconnaître Eve dans la gigantesque figure qui tient près d'elle une fillette agenouillée qui l'étreint et qu'elle semble protéger...

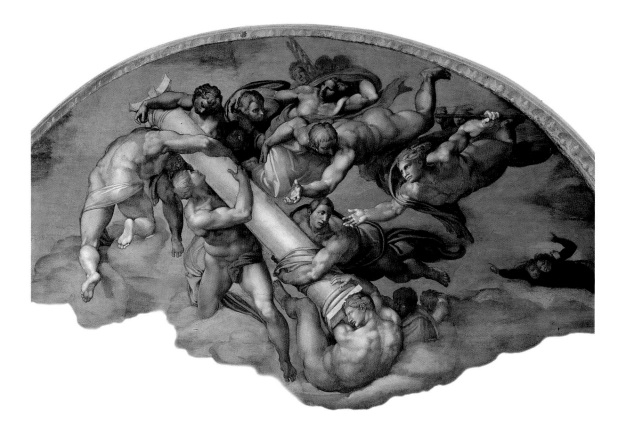

Le Jugement dernier (détail)
Lunette de droite, les anges soulevant «la colonne de la flagellation», inclinée vers le centre de la paroi, comme pour faire équilibre à la croix qui figure dans la lunette de gauche.

PAGE 73:
Le Jugement dernier (détail)
Groupe d'élus à droite du Christ. Dans la gigantesque figure qui soutient la croix, on a reconu tantôt le Cyrénéen qui est venu en aide au Christ sur le chemin du Calvaire, tantôt Dismas, le bon larron. En bas, à droite, saint Sébastien, bel exemple de nu classique, empoigne les flèches qui symbolisent son martyr. A gauche, Catherine d'Alexandrie se tournant vers saint Blaise. Tous deux étaient complètement nus à l'origine et le mouvement de Catherine – la tête tournée vers le sexe de l'homme, position que Michel-Ange affectionne souvent (*Tondo Doni*, p. 10–11, *Adam et Eve*, p. 36) – suscita un vrai scandale. Le «Braghettone» jeta des voiles sur ce «geste peu honnête».

l'ardeur inquiète de la foi de Michel-Ange aient été profondément marqués par cette amitié spirituelle que Vittoria disait «attachée par les liens du nœud chrétien» et qu'on en trouve les traces, selon Tolnay, dans maints détails du *Jugement dernier* auquel Michel-Ange travaillait alors à la Sixtine.

A nouveau pape, nouveau projet en effet. Succédant à Clément VII, Paul III Farnèse, soucieux à son tour de restaurer l'autorité de Rome et de l'Eglise, reprend un vieux projet et passe commande à Michel-Ange du *Jugement dernier*. Pour se l'attacher, il le nomme, par un bref, le 1er septembre 1535, architecte en chef, sculpteur et peintre du palais apostolique, avec un traitement à vie de 1 200 écus d'or par an. Il s'agit d'achever la décoration de la Sixtine et de remplacer les fresques du Pérugin, qui couvraient le grand mur au-dessus de l'autel. Le projet n'est pas pour déplaire à Michel-Ange qui méprisait Pérugin et le traitait de «ganache». Il travaillera au *Jugement* de 1536 à 1541 et rien ne l'arrêtera, pas même de tomber de l'échafaudage et de se blesser assez grièvement à la jambe. Il n'en terminera pas moins son travail immense inauguré le 25 décembre 1541, et le public sera admis à le contempler.

De nouveau grouillent des centaines de figures en une fresque qui fait cette fois dix-sept mètres de haut par treize mètres de large. Et cette œuvre colossale est celle d'un vieillard entre soixante et un ans et soixante-six ans. Une vie de labeurs et de tourments épuisants n'a donc pas encore eu raison de la vitalité de cet homme «terrible», comme l'appelait Jules II. Les papes se succèdent avec une grande rapidité, lui demeure. Michel-Ange ne s'est pas assagi. La mort, et

surtout la peur habitent ces innombrables corps humains géants dont l'entasse-ment produit un malaise étouffant, et qui, par grappes, sont entraînés dans un cyclone qui tourne autour de la figure centrale, un Christ (p. 64) athlétique et imberbe, pour finir aspirés par un gouffre.

Les saints et les martyrs (p. 68–69) brandissent leurs instruments de torture. Même la Vierge détourne la tête pour ne pas voir ce spectacle (p. 64). Au-dessus, les âmes et les anges luttent à coups de poing, en une mêlée sauvage. En bas, Charon, emprunté à Dante (l'Enfer, III), «aux yeux de braise, bat à coups de rame» les damnés qui s'entassent comme des moutons que l'on va égorger tan-dis que les démons agrippent les âmes hurlantes (p. 74–76).

«Il y a dans une telle œuvre, écrit encore Romain Rolland, une somme de colère, de vengeance et de haine, qui suffoque. Si elle n'était purifiée par la force colossale et presque élémentaire, on ne pourrait la supporter. Voilà donc ce qu'attendaient les *Prophètes et les Sibylles*, voilà ce que signifiait l'angoisse convulsive des peintures de la voûte!… Cette conclusion implacable de l'his-toire humaine était assurément conforme à l'essence de la pensée chrétienne; mais l'expression en était si audacieuse et si dénuée de ménagements qu'elle révolta le commun des chrétiens, dont Michel-Ange, aristocrate dans sa foi comme dans toute son âme, ne se souciait guère.»

Le cérémoniaire du pape, Biagio da Cesena, déclara publiquement «que c'était chose fort malhonnête dans un lieu aussi respectable d'avoir peint autant de nus qui montrent sans pudeur leurs parties honteuses, que ce n'était pas une œuvre pour une chapelle papale mais pour des thermes ou pour un mauvais lieu». Michel-Ange se vengea du pauvre Biagio en le représentant en enfer, sous les traits d'un Minos, impassible et vicieux, assistant au spectacle, «avec un grand serpent enroulé autour de ses jambes, au milieu d'une foule de diables».

Ce jugement du *Jugement* était très répandu. N. Serni fit son rapport au car-dinal Gonzaga, proche du pape: «… bien que l'œuvre soit d'une beauté que vous pouvez imaginer Monseigneur, les hypocrites sont les premiers à trouver les nus déplacés dans un tel lieu car ils montrent certaines parties de leur anato-mie. D'autres disent que Michel-Ange a représenté le Christ sans barbe, qu'il est trop jeune et n'a pas la majesté qui convient. Ainsi il ne manque pas de gens pour critiquer mais le Révérend Cornaro, après avoir longuement considéré l'œuvre, a déclaré que si Michel-Ange voulait lui donner un tableau représentant une seule de ces figures, il le lui paierait ce qu'il demanderait et il a raison car, selon moi, ce sont là des choses que l'on ne peut voir ailleurs.»

L'Arétin, qui avait à se venger de Michel-Ange qui ne le respectait pas assez à son goût, par ailleurs l'auteur prédestiné de *L'Hypocrite*, prototype du *Tartuffe* de Molière, prit la tête d'une cabale destinée à réclamer sournoisement la destruction pure et simple de l'œuvre. Il clamait qu'il fallait faire «des flammes de feu avec les parties honteuses des damnés, et des rayons de soleil avec celles des bienheureux».

Ni la gloire européenne de Michel-Ange, ni sa faveur auprès des papes, ne réussirent à protéger le *Jugement dernier* du zèle des dévots, et le pape suivant, Paul IV Carafa, ordonna au peintre Daniele da Volterra de mettre des culottes (1559–1560) aux nudités qui blessaient la pudeur de l'Arétin. Ce peintre «retou-cheur» y gagna le surnom de «Braghettone»! Michel-Ange, impassible, assista à la mutilation de son œuvre et déclara avec mépris: «Dites à sa Sainteté que c'est là une petite chose qui peut facilement être mise en ordre. Qu'Elle veille

Scherzo, ou les tourments de la chair, v. 1512
Musée du Vatican,
Collection Doria-Pamphili
Autoportrait que l'on cache soigneusement…

PAGES 74–76:
Le Jugement dernier
Détail: La Résurrection de la Chair
Les damnés, entraînés vers l'abîme, rappel-lent les descriptions de «L'Enfer» de Dante, que Michel-Ange admirait et connaissait par cœur. La damnation est représentée, en par-ticulier, par le personnage (page de gauche), comme un tourment essentiellement inté-rieur, comme celui dont souffre l'artiste: désespoir, remords et terreur d'un anéantis-sement physique et spirituel…

Châtiment de la sodomie
Relevé de Witkowski d'après la fresque.

Tête de Satyre, sans date
Plume, encre brune, 28 x 21 cm
Musée du Louvre, Cabinet des dessins, Paris

PAGE 79:
Le Jugement dernier (détail)
Saint Barthélemy appartient au groupe des
martyrs brandissant les instruments de leur
supplice. Écorché vif, il tend sa peau sur
laquelle apparaît le fameux autoportrait de
Michel-Ange

seulement à mettre le monde en ordre: réformer une peinture ne coûte pas
grand-peine.»

Au-delà des histoires dérisoires de braguettes, ce qu'illustre en vérité le
Jugement, c'est le naufrage d'une civilisation, d'une humanité tourmentée et
douloureuse qui a vu s'écrouler ses certitudes intellectuelles et morales, et qui
attend dans la crainte l'accomplissement de la promesse de la résurrection des
justes, sous l'égide du Christ, à la fois juge et rédempteur, dans le bouleverse-
ment de la fin des temps (Pier Luigi de Vecchi).

C'est aussi un pas décisif de l'histoire de l'art. Après, rien ne sera plus
pareil. Déjà, lors de son inauguration, on vint de toute l'Italie, mais aussi de
l'étranger. Des nuées d'artistes italiens, flamands, français, allemands se pressè-
rent sans relâche dans la chapelle Sixtine, copiant sans vergogne la fresque par
morceaux. La gloire de Michel-Ange, loin d'être diminuée, comme l'espérait
l'Arétin, en devint colossale. Phénomène qui se poursuit jusqu'à nos jours avec
les Japonais qui décidèrent de la remettre en état et que Vasari avait su prévoir
dès le début: «Cette sublime peinture, écrit-il à l'époque, doit servir de modèle
dans notre art, et la divine Providence fit ce présent au monde pour montrer

CI-DESSUS:
Piero di Cosimo
Portrait de Simonetta Vespucci, v. 1480
Huile sur panneau, 57 x 42 cm
Musée Condé, Chantilly
Ce portrait a sans doute inspiré la *Cléopâtre*
de Michel-Ange (p. 81).

A DROITE:
Figure allégorique, v. 1530
Casa Buonarroti, Florence
Fait partie des dessins appelés par Vasari
«Les Têtes divines», dans la même pose que
le tableau de Cosimo.
Car Michel-Ange n'a pas dessiné que des
portraits d'hommes, même si ses portraits
féminins ont toujours été inspirés par des
garzoni.

combien d'intelligence elle peut départir à certains hommes qu'elle envoie sur terre. Le plus savant dessinateur tremblera en contemplant ces contours hardis, ces raccourcis merveilleux. En présence de cette œuvre céleste, les sens se trouvent paralysés, et on se demande ce que peuvent être les œuvres qui ont été faites avant et celles qui seront faites après.»

Reste le destin du fameux monument à Jules II. En 1542, un sixième et dernier contrat avec les héritiers est signé. Michel-Ange fait abandon de trois statues, dont le *Moïse*, et rembourse 1400 écus. Du moins, c'est la fin de son tourment. Il est délivré du cauchemar de toute sa vie. Qu'aurait été le tombeau, si Michel-Ange avait pu réaliser ses rêves? Sans doute un prodige analogue, pour la sculpture, à ce qu'a été pour la peinture la chapelle Sixtine.

Mais nul Prophète de la Sixtine n'atteint à la perfection souveraine du *Moïse*. Tel un miroir magique, il renvoie à Michel-Ange l'image divinisée de son âme. Nulle part il n'a réalisé, comme à travers ce chef-d'œuvre, le grandiose équilibre, enfin atteint, d'une âme furieuse, que maîtrise une volonté de fer. Quant à ce qui reste du projet, mieux vaut n'en pas parler.

PAGE 81:
Cléopâtre, v. 1533–1534
Pierre noire, 35,5 x 25 cm
Musée des Offices, Florence

2

La Gloire de Dieu   1547–1564

Lorsque Vittoria Colonna mourut en 1547, Michel-Ange «resta longtemps hébété et comme fou», nous dit Condivi qui ajoute encore «qu'il n'avait pas eu de plus grande douleur en ce monde que de l'avoir laissée partir de cette vie sans lui avoir baisé le front, ni le visage, mais seulement la main».

Il a maintenant soixante-douze ans, des pierres dans la vésicule et le regret lancinant d'avoir, selon lui, commis tout au long de sa vie, une «lourde erreur – l'illusion passionnée – qui me fit de l'art une idole et un monarque…» Désormais son âme est uniquement «tournée vers cet amour divin, – qui, pour nous prendre, ouvrit ses bras sur la croix». Il ne s'intéresse plus à sa gloire, mais à la seule gloire de Dieu.

Ses travaux des vingt dernières années, poèmes, dessins, sculptures, constructions n'auront plus qu'un seul but: élever à Dieu des temples souverains, et parmi ceux-ci, en premier, Saint-Pierre. «Beaucoup de gens, écrit-il en 1557 à son neveu Lionardo Buonarroti, croient, comme je le crois, que j'ai été placé à ce poste par Dieu… Je ne veux pas l'abandonner, parce que je sers par amour de Dieu et place en lui toutes mes espérances.»

Délivré de «l'aiguillon dans la chair» (saint Paul), «ne croyant plus que la contemplation ou la recréation de la beauté humaine puisse aucunement mener à Dieu, Michel-Ange en vient à renier un art qui se fondait sur elle, au même titre que ses ‹vains pensers amoureux› de jadis» (Pierre Leyris).

Il fait son mea culpa:

«Voici que le cours de ma vie en est venu
par tempétueuse mer et fragile nacelle
au commun havre où les humains vont rendre compte
et raison de toute œuvre lamentable ou pie.

Dès lors, je sais combien la trompeuse passion
qui m'a fait prendre l'Art pour idole et monarque
était lourde d'erreur et combien les désirs
de tout homme conspirent à son propre mal.

Les pensers amoureux, jadis vains et joyeux,
qu'en est-il à présent que deux morts (*) se rapprochent?
De l'une je suis sûr et l'autre menace.

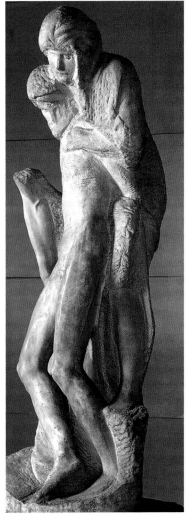

CI-DESSUS ET PAGE 82:
Pietà Rondanini, inachevée, 1564
Marbre, hauteur 195 cm
Château Sforzesco, Milan

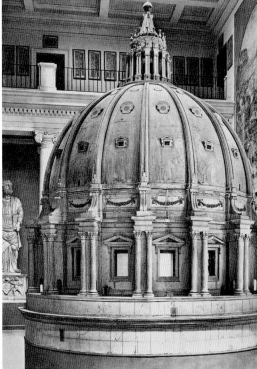

Modèle en bois, pour la coupole de Saint-Pierre de Rome, 1561
Musée Saint-Pierre, Rome

Pietà, v. 1550
Marbre, hauteur 226 cm
Museo dell'Opera del Duomo, Florence

Michel-Ange s'est représenté dans ce groupe qu'il exécuta pour l'autel d'une église où il pensait être enseveli.

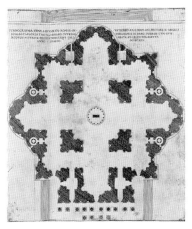

Peindre et sculpter n'ont plus le pouvoir d'apaiser

mon âme, orientée vers ce divin amour

qui, pour nous prendre, sur la Croix ouvrit les bras.»

(*) *«La mort du corps et la perdition de l'âme»* – Note de Pierre Leyris.

Il ne faut pas croire pour autant que Michel-Ange fut diminué par l'âge. Sa force
de caractère et sa force physique demeuraient. «Son génie et sa force ne pouvaient, dit Vasari, se passer de créer… Il s'attaqua à un bloc de marbre, pour y
tailler quatre figures plus grandes que nature, parmi lesquelles était le Christ
mort (La *Pietà*, p. 84 – détail de l'autoportrait de Michel-Ange en Nicodème,
p. 89); il faisait cela pour se distraire et pour passer le temps, et, comme il disait,
parce que l'exercice physique que lui procurait le travail du ciseau le maintenait
en bonne santé.» Dormant très peu, afin de pouvoir travailler même la nuit, «il
s'était fabriqué un casque de carton; et il portait au milieu, sur sa tête, une chan-
delle allumée qui, de cette façon, sans lui embarrasser les mains, éclairait ce
qu'il faisait.» Il taillait encore à cet âge le marbre «avec une telle fureur que l'on
croyait que tout dût se briser en morceaux; il cassait d'un coup de gros frag-
ments de l'épaisseur de trois ou quatre pouces, et coupait la ligne si net que, s'il
avait été plus loin de la largeur d'un cheveu, il eût couru le danger de tout
perdre.»

A vrai dire, c'est ce qui arriva à la *Pietà* qui fut brisée, soit parce que le
bloc était dur et plein de scories, soit parce qu'il n'en était pas satisfait. Michel-
Ange perdit patience et la brisa. Il l'eût détruite entièrement si son serviteur
Antonio ne l'eût instamment prié de la lui donner. Le groupe fut restauré par le
sculpteur florentin Tiberio Calcagni, ami de Michel-Ange, qui en finit aussi
quelques morceaux.

Etude pour la **Porta Pia**, v. 1561
Pierre noire, plume et encre brune, pinceau
et lavis brun, gouache blanche,
44,2 x 28,1 cm
Casa Buonarroti, Florence
Cette étude fait partie d'un projet de
rénovation du quartier mené par le pape.

PAGE 87:
Christ crucifié entre la Vierge et Nicodème,
v. 1552–1554
Pierre noire, touches de lavis brun, blanc de
plomb, 43,3 x 29 cm
Musée du Louvre, Cabinet des dessins, Paris
«... Il faut franchir les colonnes pour aller
vers Dieu ...» (Paul Valéry)

Pour Michel-Ange, la sculpture est déjà dans le bloc de pierre. Il n'y a qu'à l'en faire sortir. Dans sa jeunesse, au temps du *David*, son génie trépidant et indécis lui faisait ébaucher les œuvres avec un emportement farouche, et l'en détachait presque aussitôt, sans qu'il pût se décider à les achever. Au contraire, les sculptures de la fin ont une apparence inachevée parce que de ces blocs de pierre à peine dégrossis, Michel-Ange sait faire jaillir l'émotion la plus poignante. Plus humaines, la *Pietà* (p. 84) et la *Pietà Rondanini* (p. 82–83) parlent directement à l'âme. Que de souffrance exprimée, mais aussi que d'amour. Michel-Ange, une fois encore, ne triche pas: il se livre tout entier et s'abandonne jusqu'à se représenter en vieillard encapuchonné (p. 89), qui, debout, avec une tristesse et une tendresse infinies, soutient le Christ mort, son Sauveur...

Tout à «la gloire de Dieu», Michel-Ange accumule projets et réalisations qui marquent un tournant dans l'histoire de l'architecture de la deuxième moitié

«Les tromperies du monde m'ont ravi le temps
qui m'était accordé pour contempler Dieu.
Non seulement j'ai négligé ses grâces,
mais je me suis voué au péché avec elles
plus encore que si je ne les avais pas eues.

Ce qui aurait rendu sage un autre que moi,
m'a rendu aveugle et vaniteux et lent à
reconnaître mon erreur.
L'espérance faiblit, et pourtant le désir
d'être libéré par toi de mon amour-propre
ne fait que croître.

Réduis de moitié pour moi, le chemin qui
mène au ciel,
mon cher Seigneur, et pour monter cette
seule moitié
j'ai encore besoin de ton aide.

Donne-moi la haine de ce que le monde
aime
et de toutes ses beauté que j'honore et
adore,
afin qu'avant de mourir je m'assure la vie
éternelle.»

PAGE 89:
Pietà (détail), v. 1550
Sculpture à laquelle Michel-Ange travaillait
encore dans les derniers jours de sa vie.
C'est l'ultime message de l'artiste montrant
une réelle union dans la douleur, entre une
mère et son fils, pour le salut de l'humanité.

L'année même de la mort de l'artiste, Vasari
écrivait à Lionardo Buonarroti à propos
de cette Pietà: «... et il y a un vieux dans
lequel il s'est représenté». Selon la légende,
Nicodème était sculpteur, lui aussi, et était
considéré comme l'auteur du Volto Santo du
dôme de Lucca.

du 16e siècle. Là encore, l'apport majeur de Michel-Ange repose non sur des rapports abstraits de proportions, mais sur une parfaite connaissance de l'anatomie, sur une conception dynamique et expressive du corps en mouvement: «Il est certain, professe-t-il, que les membrures de l'architecture ont un rapport avec les membres de l'homme. Celui qui ne sait pas reproduire la figure humaine et n'est pas expert en anatomie, celui-là n'entend rien à l'architecture.»

Et ils sont nombreux, ces ignorants, qui tentent d'empêcher Michel-Ange de réaliser Saint-Pierre de Rome (p. 84) ou la place du Capitole (p. 85). Mais usant tantôt de la colère, tantôt de l'appui des papes, Michel-Ange parvient à ses fins. Ce qui rend tout le monde furieux, y compris le pape, c'est le secret dont s'entoure l'artiste. Celui-ci avait déjà élevé l'abside de Saint-Pierre qu'on ne savait pas encore comment il la voûterait. Vasari raconte qu'au cardinal qui l'interrogeait, il déclara: «Je ne suis pas obligé de communiquer à votre Seigneurie, ou à quelque autre que ce soit, ce que je dois ou veux faire. Votre affaire est de surveiller lès dépenses et d'empêcher qu'on ne vole. Pour la construction, c'est mon affaire.» Puis, se tournant vers le pape, Jules III: «Saint-Père, voyez quel est mon salaire. Si les peines que j'endure ne servent pas à mon âme, c'est vraiment du temps et de la peine perdus.» Le pape, qui l'aimait, lui mit ses mains sur les épaules et s'écria: «Tu gagnes pour les deux, pour ton âme et pour ton corps, sois sans crainte.» Michel-Ange, malgré les sollicitations, restera à Rome, jusqu'à ce que son «plan ne puisse plus être détruit ou changé et qu'il n'y ait plus possibilité pour les voleurs de recommencer, comme ces fripons en attendent l'occasion».

Le 12 février 1564, Michel-Ange passe tout le jour debout, à sa *Pietà*. Le 14, à 89 ans, il est pris de fièvre, et n'en sort pas moins, à cheval, dans la campagne, par la pluie. Il ne consent à se mettre au lit que le 16 février. Le 18, il meurt en pleine conscience, ayant auprès de lui Daniele da Volterra, devenu son secrétaire, et son fidèle ami, son âme, Tommaso dei Cavalieri. Le pape avait l'intention de le faire ensevelir à Saint-Pierre. Mais Michel-Ange avait exprimé le vœu «de revenir au moins mort à Florence, puisque, vivant, il n'avait pu». Le 10 mars 1564, Michel-Ange fait donc sa rentrée dans sa patrie. Dans la sacristie de l'église Santa Croce on ouvrit le cercueil. Le corps était intact: Michel-Ange semblait dormir. Il était habillé de damas noir. Sur la tête, un chapeau de feutre à l'antique. Aux pieds, des bottes avec des éperons. Ainsi, quand il vivait, il avait coutume de reposer tout habillé et botté, prêt à se lever et à se remettre au travail.

La malédiction de ce Titan aura été de rester en dehors de son temps, seul, à part, et colossal. L'art moderne, en particulier, lui reprochera d'avoir créé la confusion en s'approchant le plus près de l'imitation de la nature. Selon Fernand Léger, «le fait de bien imiter un muscle comme Michel-Ange... ne crée pas un progrès ni une hiérarchie en art». C'est le privilège d'une comète d'affoler ceux qui la regardent. Les yeux peuvent se brûler à de tels soleils.

PAGE 90:
Giuliano Bugiardini (?)
Portrait de Michel-Ange
en turban
Huile sur panneau, 49 x 36,4 cm
Musée du Louvre, Paris

Giuliano Bugiardini (?)
Portrait de Michel-Ange
en turban (détail)
Huile sur toile, 55,5 x 43,5 cm
Casa Buonarroti, Florence

Marcello Venusti
Portrait de Michel-Ange
au temps du Jugement
dernier à la Sixtine, v. 1535
Casa Buonarroti, Florence

MICHEL-ANGE

1475 6 mars, naissance de Michelangiolo Buonarroti à Caprese.

1488 Apprentissage chez Ghirlandaio.

1489 Entre au «Casino Mediceo».

1490–1492 Laurent de Médicis le loge au palais, Via Larga.

1494 octobre–1495 novembre: séjours à Venise puis à Bologne.

1496 25 juin départ pour Rome.

1498 août–1499 *Pietà Vaticane.*

1501 16 août commande du *David* en marbre pour la place de la Seigneurie.

1503 La cathédrale de Florence lui commande douze statues d'apôtres; l'annule en 1505.

1504 Les *Tondo Pitti, Taddei* et *Doni.*

1505 Le pape Jules II lui confie la réalisation de son tombeau.

1506 21 novembre, Bologne, Jules II lui commande une statue en bronze pour la façade de San Petronio.

1508 En avril à Rome, il commence la décoration de la voûte de la Sixtine.

1508–1512 Fresques de la chapelle Sixtine; inaugurées le 31 octobre 1512.

1518 19 janvier contrat pour la façade de San Lorenzo (non faite).

1519 Commande des tombeaux Médicis.

1524 Projets pour la Bibliothèque Laurentienne à Florence. Exécution du *Crépuscule* et de *L'Aurore* pour le tombeau de Laurent de Médicis.

ARTS

1482 Mort d'Hugo van der Goes.

1483 Naissance de Raphaël.

1489 (?) Naissance de Corrège.

1490 (?) Naissance de Titien.

1494 Mort de Ghirlandaio / naissance de Rosso / 1er voyage de Dürer à Venise.

1497 Naissance de Holbein le Jeune.

1499 Edition par Alde Manuce du «Songe de Poliphile» de Francesco Colonna.

1502–1503 Rome, le Tempietto de Bramante à San Pietro in Montorio.

1502–1510 Construction du château de Gaillon pour le cardinal d'Amboise.

1503 Naissance de Parmesan / façade du Belvédère, par Bramante.

1504 Léonard à Florence.

1504–1505 Naissance de Primatice.

1505 Dürer à Venise.

1506–1509 Erasme en Italie.

1508 Naissance d'Andréa Palladio.

1509–1511 Les *Stanze* de Raphaël.

1510 (?) Naissance de Jean Goujon.

1510 Mort de Botticelli, de Giorgione.

1511 Naissance de Giorgio Vasari.

1514 Mort de Bramante (né en 1444); Raphaël lui succède comme architecte de Saint-Pierre.

1515–1516 Arioste «Roland furieux».

1516 Mort de J. Bosch, de G. Bellini.

POLITIQUE ET RELIGION

1492 Mort de Laurent le Magnifique à Florence.

1494 Expédition française en Italie.

1498 Louis XII devient roi de France / mort de Savonarole.

1500 Naissance de Charles Quint.

1503 Giuliano della Rovere est élu pape: Jules II.

1507 Vente des indulgences pour l'édification de Saint-Pierre de Rome.

1509 Victoire française à Agnadel.

1510 Voyage de Luther à Rome.

1512 Louis XII prend Milan.

1512–1517 Concile de Latran V.

1513 Election au pontificat de Léon X (fils de Laurent de Médicis).

1515 François 1er, roi de France / victoire de Marignan.

1516 Concordat de Bologne entre Léon X et François 1er.

1517 Luther placarde ses 95 thèses contre les indulgences sur la porte de la chapelle de Wittenberg.

1519 Charles Quint est élu empereur.

1520 Excommunication de Luther.

1521 Adrien VI est élu pape.

1523 Clément VII, Médicis succède à Adrien VI.

1527 Sac de Rome par les troupes impériales de Charles Quint. La république Florentine est rétablie après la chute des Médicis.

Stefano Bonsignori
Vue de Florence, dite de la Catena,
1470–1490
Museo di Firenze Com'era, Florence

Cette vue nous présente la ville qui fut le berceau de la Renaissance. Au nord de l'Arno, la vieille ville dominée par la coupole de Brunelleschi et entourée de murs d'enceinte. Au sud de l'Arno, le Palais Pitti, Santa Maria del Carmine, et les faubourgs entourés des remparts de 1172.

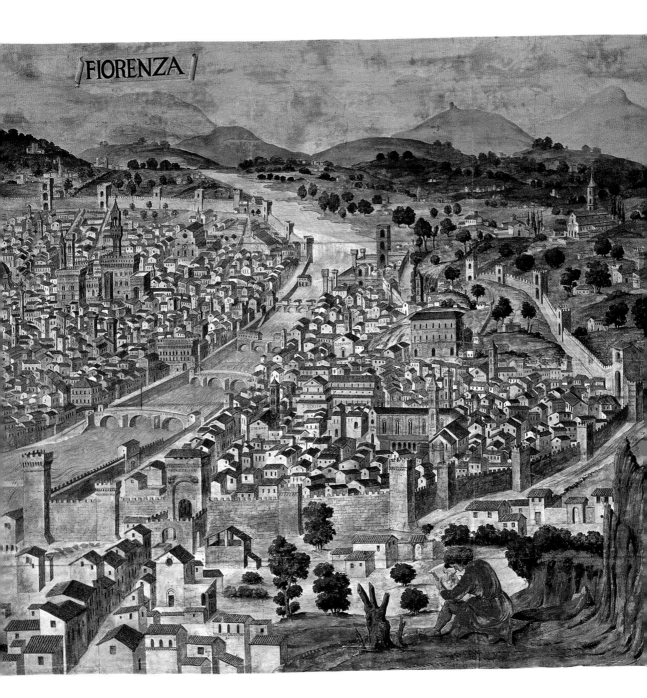

Domenico Ghirlandaio
Confirmation de la Règle, v. 1485
Fresque Chapelle Sassetti, Santa Trinita,
Florence

A gauche, le Palazzo Vecchio, devant lequel
on placera le *David*. Lui faisant face, la
loggia dei Lauzi, encore vide des sculptures
qui l'occuperont plus tard

1526 *Le Jour* et *La* Nuit pour le tombeau
de Julien de Médicis.

1529 6 avril Michel-Ange est nommé gou-
verneur général des fortifications de Florence / Juillet-août, mission à Ferrare /
21 septembre, exil à Venise / Novembre,
retour à Florence.

1532 Rome, fait la connaissance de
Tommaso dei Cavalieri.

1534 Dessins préparatoires pour le
Jugement dernier à la Sixtine.

1535 Paul III le nomme architecte, sculpteur et peintre du palais Apostolique.

1537 Buste de Brutus (Bargello, Florence)
pour le cardinal Ridolfi.

1541 Achève le *Jugement dernier*, décore
la chapelle Pauline.

1545 *La Chute de saint Paul*, fresque de la
chapelle Pauline est achevée.

1546 Travaille à la *Crucifixion de saint
Pierre* (chapelle Pauline), achevée en 1550.
Septembre, le pape lui confie les travaux de
Saint-Pierre de Rome. Décembre, 1er modèle
pour la coupole.

1547 Second modèle pour Saint-Pierre.

1550 *Pietà* pour la cathédrale de Florence,
qu'il brise en 1555.

1555 *Pietà Rondanini*, inachevée.

1557 3e projet pour Saint-Pierre.

1561 4e modèle pour Saint-Pierre.

1563 Fondation de l'Académie de dessin à
Florence.

1564 18 février mort de Michel-Ange.

1518 Naissance de Tintoret.

1519 Mort de Léonard de Vinci.

1520 Mort de Raphaël.

1523 Mort de Gérard David.

1525 (?) Naissance de Brueghel le Vieux.

1526 Palais du Té, par Jules Romain.

1528 Mort de Grünewald, de Dürer /
naissance de Véronèse.

1529 Mort d'Andréa Sansovino / naissance
de Jean Bologne.

1532 François Rabelais «Pantagruel».

1534 Mort de Corrège.

1533–1540 Galerie François 1er du Rosso,
à Fontainebleau.

1536 Mort d'Erasme (né en 1465).

1540 Mort de Parmesan, de Rosso.

1541 Naissance du Greco.

1543 Mort de Holbein le Jeune.

1546 Mort de Jules Romain.

1549 Du Bellay «La déffense et illustration de la langue françayse».

1546–1558 Pierre Lescot travaille à la
cour Carrée du Louvre.

1550 1ère édition des «Vies» de Vasari.

1555–1560 Ecouen par Jean Bullant.

1555 Naissance de Ludovic Carrache.

1560 Naissance d'Annibal Carrache.

1529 Paix de Cambrai (paix des Dames)
entre la France et l'Empire.

1530 Chute de la république de Florence.

1534 Fondation de L'ordre des Jésuites.
Election de Paul III Farnèse au siège pontifical. Acte de suprématie par lequel le roi
d'Angleterre se proclame chef de l'église
anglaise.

1537 6 janvier, assassinat d'Alexandre de
Médicis, duc de Florence.

1538 Excommunication d'Henri VIII
d'Angleterre.

1545–1563 Concile de Trente.

1546 Mort de Luther.

1547 Mort de François 1er, Henri II, son
fils, lui succède.

1550 Jules III del Monte est élu pape.

1555 Mort de Jules III / Règne de Marcel
II / Election de Paul IV Carafa.

1556 Abdication de Charles Quint.

1558 Mort de Charles Quint.

1559 Election de Pie IV / François II, roi
de France.

1560 Charles IX, roi de France.

1564 Mort de Calvin.

Crédits photographiques

La maison d'edition et l'auteur remercient les musées, les archives et les photographes qui les ont autorisés à reproduire les illustrations et leur ont apporté leur aimable soutien lors de la réalisation de ce livre.
A côté des institutions indiquées dans les légendes, mentionnons également:

Etudes pour les *Ignudi*, v. 1509

© Photo RMN, Paris, Michèle Bellot: 53 à droite en bas

© Photo RMN, Paris, G. Blot: 53 en haut au centre, 78, 87, 90

© Photo RMN, Paris: 53 à droite en haut

© The Royal Academy of Arts, Londres: 13 à gauche

The Royal Collection © Her Majesty Queen Elizabeth II, Windsor: 61, 62, 63

Scala, Istituto Fotografico Editoriale S.p.A., Antella (Firenze): couverture, 6, 10, 11 en bas, 11 en haut, 12 à gauche, 14, 15 à droite, 56 au milieu, 58 en bas, 60, 86, 91, 95, dos de couverture

© Teylers Museum, Haarlem: 2, 20, 39

Photo Vatican Museums, Rome: 22, 24, 25, 26, 27, 28, 29, 30–31, 32, 33, 34–35, 36, 37, 40–41, 42, 44–45, 46, 47, 64, 67, 68–69, 70, 71, 72, 73, 74–75, 76, 79

L'auteur tient aussi à remercier Bea Rehders et Veronica Weller pour leurs recherches iconographiques sans lesquelles ce livre n'aurait pas été possible.

Alinari, Florence: 92, 93

Alinari-Giraudon, Paris: 7, 8 au centre, 11 en haut, 12 à droite, 16 à gauche, 48, 50, 51, 54, 55, 84, 94

Artephot, Nimatallah, Paris: 82, 83

Courtesy of the Fogg Art Museum, Harvard University Art Museums, Gifts for Special Uses Fund: 1

© Bridgeman Art Library, Londres: 4, 38

By kind Permission of the Earl of Leicester and Trustees of the Holkam Estate, Norfolk: 21 en haut

Giraudon, Paris: 80 à gauche, 81

Robert Hupka: 17, 18 à gauche

Lauros-Giraudon, Paris: 56 en bas

© 1995 The Metropolitan Museum of Art, New York: 43

Reproduced by courtesy of the Trustees, The National Gallery, Londres: 15 à gauche, 19

© Photo RMN, Paris, R. G. Ojeda: 16 à droite, en haut

© Photo RMN, Paris, G. Blot/C. Jean: 18 à droite

© Photo RMN, Paris, C. Jean: 52 à droite, 53 à gauche

Index des personnes